3 1110 00369 6291

Chica de 15

Encantadora pero loca

Chica de 15
Encantadora pero loca

Sue Limb

ANAYA

Título original: *Girl, 15, Charming but Insane*

1.ª edición: junio de 2005
2.ª edición: septiembre de 2005
3.ª edición: mayo de 2006

© Del texto: Sue Limb, 2004
© Bloomsbury Publishing, 2004
© De la traducción: Alejandra Pérez del Real, 2005
© De esta edición: Grupo Anaya, S. A., Madrid, 2005
Juan Ignacio Luca de Tena, 15. 28027 Madrid
www.anayainfantilyjuvenil.com
e-mail: anayainfantilyjuvenil@anaya.es

Cubierta de Ian Butterworth

ISBN: 84-667-4736-2
Depósito legal: NA. 1.307/2006
Imprime y encuaderna RODESA
Impreso en España - Printed in Spain

Reservados todos los derechos. El contenido de esta obra está protegido por la Ley, que establece penas de prisión y/o multas, además de las correspondientes indemnizaciones por daños y perjuicios, para quienes reprodujeren, plagiaren, distribuyeren o comunicaren públicamente, en todo o en parte, una obra literaria, artística o científica, o su transformación, interpretación o ejecución artística fijada en cualquier tipo de soporte o comunicada a través de cualquier medio, sin la preceptiva autorización.

Para
Betsy Vriend, porque,
hasta cierto punto
y para ser honestos,
es ella quien ha escrito
el libro.

1.
VIRGO: UN SEÑOR MUY, MUY GORDO, QUE NO SE HABRÁ DUCHADO DESDE NAVIDADES, SE SENTARÁ A TU LADO EN EL AUTOBÚS

Ojos, nariz, labios. Jess estaba dibujando una cara en su mano. Tendría que haber estado tomando notas para su trabajo de Historia: una lista de "Razones por las que el rey Carlos I de Inglaterra fue impopular". Sin embargo, se estaba tatuando la cara del maravilloso Ben Jones. Un toque de Leonardo Di Caprio, una pizca del príncipe Guillermo de Inglaterra, unas gotitas de Brad Pitt... El pelo de punta, media sonrisa... ¡Bah, no! No se parecía en nada a Ben Jones. ¡Parecía una iguana loca!

Dibujar no era el punto fuerte de Jess. Debajo del tatuaje escribió: *Ben Jones ¿o Iguana Loca?,* y tosió, para que su amiga Flora supiera que quería decirle algo. Era una señal. Una tos con el ritmo del último single de Justin Timberlake. Flora alzó la vista desde su pupitre, y Jess le enseñó el tatuaje. Flora sonrió, pero inmediatamente miró de reojo a la señorita Dingle y se sumergió en su tarea.

La señorita Dingle —más conocida entre sus fans como la Murciélago— la miró furiosa desde la mesa del profesor. "¡Jezz Jordan! ¿Qué problema tienez?".

"¡Uf, señorita, tengo tantos!", suspiró Jess, bajándose la manga apresuradamente para esconder el retrato-tatuaje de Ben Jones: la Iguana Loca. "Un hogar trágicamente roto, una horrible herencia genética, un trasero enorme...". Unos cuantos soltaron una risita.

"¡Continúa tu tarea!", bramó la señorita Dingle, intentando sonar aterradora y fría como el acero, a pesar de tener únicamente un hililllo de voz y de no poder pronunciar la ese. "Zi moztrazez la mitad de interéz en ezcribir trabajoz de Hiztoria del que ponez en intentar zer gracioza, zeríaz la eztudiante eztrella de la claze en vez del azno que erez. ¡Dezgraciadamente, vaz a zuzpenderlo todo a menoz que dez el do de pecho! ¡Te creez que me la vaz a meter y que erez muy lizta!".

Todos en la clase escondieron la cabeza tras el libro, desternillándose de risa —lo menos ruidosamente posible, por supuesto—. El aula tembló. La señorita Dingle siempre usaba esas expresiones pasadas de moda que sonaban vagamente obscenas: *dar el do de pecho* y *me la vas a meter.* "¡Y el rezto de vozotroz!", gritó la señorita Dingle, "zilencio y continuad ezcribiendo vueztra lizta de razonez, ¡a menoz que queráiz quedaroz dezpuéz de claze! ¡Eztoy tentada de caztigaroz a todoz! ¡No me prezionéiz demaziado! ¡Puedo montarla bien gorda!".

Hubo una explosión controlada, porque todo el mundo intentaba evitar reír a carcajadas, aunque para ello tuvieran que tragarse las amígdalas, pero retomaron el garabateo frenético. Nadie quería quedarse después de clase. Jess cogió su diccionario e intentó parecer inteligente. Pasó las páginas, esperando encontrar algún taco. De pronto, tuvo una idea. ¡Oye! A lo mejor se podía emplear el diccionario como el tarot. Piensas una pregunta y, entonces, lo abres al azar. Jess cerró los ojos y se concentró. *¿Habrá tema entre Ben Jones y yo alguna vez?*

Su dedo se clavó en una palabra. *Perejil. Planta herbácea muy conocida, utilizada para condimentar la comida.* En fin, un resultado poco brillante, obviamente. Pero podía haber un significado oculto. A lo mejor podías hacer que un chico se enamorase de ti frotándote perejil detrás de las orejas. O espolvoreando perejil picado en sus pantalones mientras él estuviera nadando.

De pronto, Jess se encontró otra vez con la mirada de la Murciélago. Un momento peligroso. Rápidamente copió el título del trabajo de Historia. "Razones por las que el rey Carlos I de Inglaterra fue impopular". Todo lo que tenía que hacer era leer el capítulo seis del libro de Historia. Jess hojeó el libro y miró los dibujos. Carlos I tenía ojos tristes, embrujados, y una perilla muy estilosa. Flora le había contado que solo había medido alrededor de 1,50. Alguna clase de duende, obviamente. Y entonces le habían cortado la cabeza —un trágico final para cualquiera, pero peor para un tipo bajito, que se quedaría en nada.

"Razones por las que el rey Carlos I de Inglaterra fue impopular". Jess miró hacia Flora, que estaba escribiendo tan apresuradamente que le temblaba todo el cuerpo. Ya había escrito tres páginas, y, si Jess quería alcanzarla, tendría que empezar. Jess cogió su bolígrafo y dejó que su imaginación volase. Algo siempre peligroso.

Razones por las que el rey Carlos I de Inglaterra fue impopular:

1. Nunca se cambiaba de pantalones.
2. Se negó a crecer.
3. Aprobó una ley que ordenaba que le fueran cortadas las piernas a todo aquel que fuera más alto que él.
4. Sorbía la sopa.
5. Envasaba sus pedos y se los vendía a los turistas.

De alguna manera, a Jess se le secó la imaginación en este punto y volvió a pensar en Ben Jones. Ideó un plan para robar un poco del ADN del príncipe Guillermo y de Brad Pitt. Justo el tipo de chico que le gustaría. Con una pizca de ambos, pata de sapo y ojo de tritón, debería poder crear genéticamente un doble de Ben Jones, en el caso de que el auténtico fuese inalcanzable. Contempló con adoración el tatuaje de Ben Jones: la Iguana Loca. Cómo le gustaría ser la madre de sus hijos, aunque tuviera que poner huevos.

Jess comenzó otra lista: "Razones por las que Ben Jones es popular". Era mucho más fácil que la lista de Historia.

1. Pelo como hierba dorada (ojalá pudiera hace un picnic sobre él).
2. Ojos tan azules que se podría nadar en ellos (empieza a sonar como un destino turístico).
3. Una media sonrisa monísima, que se le dibuja poco a poco en la cara y que podría descongelar la Antártida.
4. No habla mucho, es decir, ni da voces ni dice tonterías, y...
5. Rezuma misterio y carisma.

De pronto, sonó el timbre. Un inmenso suspiro de alivio recorrió el aula. Todos dejaron el bolígrafo, bostezaron y se desperezaron. Tiffany, una morena regordeta de cejas feroces, se volvió hacia Jess y susurró: "¡No te olvides de mi fiesta mañana por la noche! ¡Como no vengas, te enteras!".

"No te preocupes, iré", dijo Jess. " Pensaba quedarme en casa y zurcir unos calcetines divinos, pero por ti haré ese gran sacrificio". La familia de Tiffany era bastante rica (al menos según la opinión de Jess), y estaba deseando beber champán a grandes tragos y columpiarse de las elegantes lámparas de techo.

La mejor amiga de Jess, la diosa Flora, era la única persona de la clase que aún no había terminado su trabajo. Garabateaba más apresuradamente que nunca, con su cabello dorado centelleando. Una gota de su divina caspa podría devolver la vista a los ciegos y resucitar pequeños insectos pisoteados.

Flora terminó su frase con una rúbrica, se echó hacia atrás el pelo con un gran destello de luz sobrenatural, se volvió hacia Jess y sonrió. *Menos mal que esa víbora guapísima y perfecta es mi mejor amiga,* pensó Jess. *Si no, tendría que matarla.*

"¡Jezz Jordan!", tronó la señorita Dingle con su vocecita de hada, por encima del ruido de sus compañeros, recogiendo sus bártulos. "¡Por favor!, ¿podríaz venir y enzeñarme tu lizta de razonez?".

2.
VIRGO: ABRIRÁS CON DEMASIADO BRÍO UNA BOLSA DE CACAHUETES EN UN LUGAR PÚBLICO

En realidad, que te obligaran a quedarte después de clase era bastante relajante. Jess escribió la redacción que le habían mandado hacer como castigo con una letra enorme, hasta conseguir llenar cinco páginas. La señorita Dingle parecía preocupada. Escribía algo, después estrujaba el papel, lo tiraba, y volvía a empezar. A lo mejor estaba escribiendo el borrador de un anuncio para la sección de contactos:

Profezora de Hiztoria, 57 añoz pero aparenta 57, pelo eztropeado, pecho plano, rodillaz juntaz, zin ezez, buzca caballero para jugar al bádminton y lo que zurja.

El anuncio de Jess en la sección de contactos tampoco sería demasiado tentador.

Chica de 15, encantadora pero loca, enorme culo, orejas gigantes, busca..., bueno, busca a Ben Jones, pero, en su defecto, vestimenta musulmana tipo burka para ocultar sus deformidades.

Jess entregó su redacción. La señorita Dingle hizo un largo y triste discurso sobre la inteligencia de Jess, lo bien que lo podía hacer cuando se esforzaba y su pésimo rendimiento académico. Todos sus profesores estaban muy disgustados. Jess se los imaginó llorando a mares en la sala de profesores. Aparentemente nunca antes había habido un mayor fracaso escolar. Era casi una proeza. *Una pena que no haya un premio al peor resultado académico*, pensó. *Lo ganaría en un abrir y cerrar de ojos.*

"Ahora bien, Jezz", dijo la señorita Dingle con voz aflautada y gesto adusto, "debajo de todaz tuz payazadaz, zé que hay una eztudiante aplicada intentando aflorar. Pienza lo orgullozoz que eztarían tuz padrez zi dezarrollaraz todo tu potencial. Ahora vete, y, recuerda, ¡eztaré buzcando zignoz de mejoría!". Jess asintió, intentando parecer afectada, y abandonó el aula.

Comenzó a pensar en su padre. ¡Si viviese más cerca! Trescientos veinte kilómetros son muchos como para dejarte caer por su casa después del colegio. Todos los días, su padre le mandaba al móvil mensajes de texto ridículos y *horroróscopos* de broma. Pero hacía meses que no se veían cara a cara.

Los padres de Jess se habían separado poco después de su nacimiento, posiblemente por el trauma que habían sufrido al verla. En las fotografías de bebé, parecía un flan calvo y venenoso. Tal vez se habían culpado mutuamente del ser horrible que habían creado. En cualquier caso, poco después, el padre de Jess se había mudado a Cornwall, que está, más o menos, en la quinta puñeta.

Fred Parsons estaba sentado en la tapia del colegio. Llevaba la capucha puesta, y sus grandes ojos grises oteaban el exterior como un búho en una cueva. Jess le quitó la capucha de un golpe. Fred tenía un pelo largo y fino que le caía desordenadamente alrededor del cuello. Solo la gente con el pelo fuerte debía dejárselo largo. Pero Fred llevaba ese peinado pasado de moda porque pensaba que le daba un aire intelectual.

"¡Córtate el maldito pelo!", tronó Jess como un sargento. Siempre saludaba a Fred de esta manera. "¡Baja de la tapia, ponte derecho, mira al frente! Pareces el Jorobado de Nôtre Dame".

"¡Ah, la señorita Jess Jordan!", saludó Fred, arrancándose los auriculares de las orejas. "¿Qué tal el castigo? Agradable, espero. ¿Te ha montado la Murciélago un numerito?".

"Maravilloso, gracias", respondió Jess. "Se podría decir que crea adicción. Le ayudé a redactar su anuncio para la sección de contactos. Ahora somos íntimas amigas, casi inseparables".

"Por cierto, no te estaba esperando", dijo Fred. "Simplemente estaba demasiado cansado para andar hasta casa después de las clases. Puede que incluso no me vaya a casa y duerma aquí. Ahorraría tiempo por la mañana". Pero Jess sabía que la estaba esperando. Siempre volvían juntos a casa. Conocía a Fred desde que tenían tres años. Desde la guardería, cuando él la había atizado con un autobús de plástico en la cabeza.

"Pensaba pasar por casa de Flora de camino a casa", dijo Jess. "¿Quieres venir?".

Fred se bajó de la tapia y se pusieron en marcha. "Te acompaño a su casa, pero yo no entro", dijo él. "Nunca entraré en la casa de los Barclay. ¡Antes preferiría ver a mi madre bailando desnuda delante de todo el colegio!".

Era verdad, la casa de Flora intimidaba un poco. Era como el paraíso. Flora y sus hermanas, Freya y Felicity, eran rubias. Su madre era rubia. Su padre era rubio. El perro era rubio. Incluso las alfombras eran rubias. Tenías que quitarte los zapatos en la puerta y pasear en calcetines.

"Si se hiciera una película sobre nuestras vidas", dijo Jess, "¿quién haría de Flora?".

"Oh, obviamente, Britney Spears", dijo Fred al instante.

A Jess no le gustó nada la forma en que había dicho *obviamente*. "¿Y quién haría de mí?", preguntó (deseando que fuera Christina Ricci o Catherine Zeta-Jones).

"¡¿De ti?!", Fred pareció sorprendido, como si la idea de que apareciera Jess en una película fuera de mal gusto. "No sé..., eeeeh..., posiblemente ¿Mike Dyers travestido?". Jess atizó a Fred virulentamente con su botella de agua vacía en la cabeza y en los hombros; no una vez, sino dos, tres... "¡Violencia!", exclamó Fred, "¡Me encanta!".

"En ese caso", dijo Jess, "no volveré a pegarte nunca", y lanzó la botella a una papelera que había al lado. Aunque algo violenta, estaba muy bien educada y jamás tiraría basura a la calle. En su cuarto, sin embargo..., bueno, eso era otra historia.

Habían llegado a casa de Flora. Era un edificio alto y elegante, pintado de blanco y con arbustos en macetas de diseño a ambos lados de la puerta. Por alguna razón, los pájaros nunca se cagaban en casa de Flora. Una señal de que la familia Barclay era de las *elegi-*

das. Las cosas no eran ni por asomo parecidas en la siempre destartalada pequeña casa de Jess, dos calles más allá. Los perros callejeros recorrían kilómetros atravesando la ciudad y hacían cola para cagar en su jardín delantero.

"¡Entra conmigo Fred!", susurró Jess. "El padre de Flora me da miedo. Por favor, solo un minuto. Puedes tener una conversación de hombres con él, sobre coches o fútbol o algo parecido. Solo tienes que quitarte los zapatos. No vas a perder la virginidad ni nada".

Fred retrocedió unos pasos. "Antes me dejaría arrancar los pelos de la nariz uno a uno que pasar medio minuto en ese agujero infernal. Además, mis calcetines huelen como un queso francés caro que se ha dejado al sol".

Jess permaneció clavada en la entrada. Fred se marchó calle arriba. Ella intentó pensar rápidamente en algo que pudiera retenerlo. "¡Espera! ¡Espera! ¿Qué haces mañana por la noche? Hay una fiesta en casa de Tiffany. ¿Vas a venir?".

"¡De ninguna manera!", dijo Fred, haciendo una mueca de desagrado. "Pienso tumbarme en el sofá y ver algo violento en la tele".

Jess se sintió decepcionada. Fred NO era amigo de las fiestas. Suspiró y llamó al timbre de Flora. Fred se fue andando como un orangután. Cuando llegó a la esquina, miró hacia atrás, y Jess le sacó la lengua, se rascó las axilas y chilló como un chimpancé. En ese preciso instante, el padre de Flora abrió la puerta.

El padre de Flora hacía a Jess sentirse incómoda. Era alto, jovial y aterrador. Todo el mundo le tenía miedo. Su mujer. Sus hijas. Su perro. Incluso su alfombra.

"¡Zapatos fuera, Jess, por favor!", ordenó. "¿Qué tal la clase extraescolar de Francés?".

"¿Clase extraescolar de Francés?", tartamudeó Jess. Flora apareció detrás de su padre, gesticulando frenéticamente. "Oh, bien, muy bien". Jess intentó recordar cómo se decía "bien" en francés. "*Très belle*".

Demasiado tarde, se dio cuenta de que quería decir 'muy guapa'. Pero al padre de Flora no pareció importarle. "Tendrás que disculparme", dijo, "estoy encargando unos bidés de Turín". Regresó al teléfono y comenzó a hablar en italiano, con gestos grandilocuentes incluidos, cosa que a Jess le pareció un poquito innecesaria. ¡Qué tío más creído! Por lo menos, su padre intentaba pasar desapercibido. Lo más excéntrico que había hecho nunca había sido mandarle un pequeño boceto de una gaviota. Ella hubiese preferido un fajo de billetes, obviamente, pero al menos podía decir que su padre era un artista romántico, muriéndose de hambre en Saint Ives.

"¡Pasa Jess!", exclamó la madre de Flora.

Jess y Flora entraron en el salón. "Les dije que estabas en clase extraescolar de Francés", susurró Flora, "para que no piensen que eres una mala influencia para mí".

"¡Jess! ¡Qué placer verte!". La madre de Flora se encontraba tumbada en el sofá; llevaba puesta una bata de satén color perla y parecía una glamourosa estrella de cine de los años treinta. Se estaba secando el esmalte de uñas soplando con sus grandes labios rosas.

"Perdona el desorden", dijo la señora Barclay. Jess miró en vano a su alrededor en busca del desorden. La familia Barclay no conocía el significado de esa palabra. Si hubiera una competición olímpica que consistiera en desordenar, la familia de Flora tendría que entrenarse arduamente durante meses simplemente para dominar lo más elemental. Incluso entonces seguramente pensarían que desordenar suponía no colocar en su sitio el cepillo de dientes.

"Disculpa mi *déshabille*", dijo la madre de Flora. Jess supuso que era una referencia a la bata. Distinto sería si hubiese tenido *realmente* esa clase de Francés. "Acabo de tomar un baño, y Henry y yo nos vamos a la ópera. Tienes que estar cansada después de todo ese francés. Flora, tráele a la pobre Jess un chocolate caliente con crema. ¿Te apetece un sándwich? ¿Cómo está tu madre?".

"Bien, gracias". Jess quería hablar lo menos posible sobre su madre.

"La vi ayer en la biblioteca", comentó la madre de Flora, inspeccionando con satisfacción la manicura de sus uñas. "Estaba aterrada porque le devolvía mis novelas policíacas con retraso, pero fue muy amable y me perdonó".

Jess sonrió agradecida. Era espantoso tener una madre que trabajaba en la biblioteca. Todo el mundo la veía con sus zapatos más feos, gafas de lerda y esa espantosa ropa hippie vieja. Algunas veces hasta se olvidaba de cepillarse el pelo. Qué maravilloso debía ser tener una madre como la de Flora, que te llamaba *cariño.* La madre de Jess solo la llamaba *cariño* cuando le iba a dar malas noticias, o para disculparse por haber cometido un error como madre.

También sería maravilloso tener hermanas. Freya, la hermana mayor de Flora, estaba en la Universidad de Oxford estudiando Matemáticas y *Cómo ser una diosa del amor* (el negocio familiar). Felicity, la pequeña, era un genio musical. Tocaba la flauta. Jess podía escucharla practicar incluso ahora, arriba, en su habitación. Felicity tenía palomas en un palomar en el jardín, y volaban hasta su ventana para recibir de sus blancas y perfectas manos sabrosa comida para palomas. Jess no tenía hermanos, solo un osito de peluche raído y viejo llamado Rasputín.

Los padres de Flora se fueron a vestir para su salida nocturna, y Flora le preparó a Jess un sándwich de crema de queso y pepinillos, su tentempié favorito. Flora preparaba a menudo deliciosos caprichos para Jess. Algunas veces tenía la sensación de que recibía más cuidados maternales de Flora que de su propia madre.

"¡Ay!, ¡estoy tan enamorada del rey Carlos I de Inglaterra!", suspiró Flora.

"Mira, Flo, simplemente no es para ti", dijo Jess. "Lo digo por la diferencia de edad. Es trescientos años mayor que tú. La gente murmuraría. Además, no tiene cabeza. E incluso, si tuviera una, no te llegaría ni a la altura de los hombros".

"Y tuvo una vida tan trágica...", dijo Flora, que tenía debilidad por los dramones. Finalmente, Jess la convenció de que si iban a la fiesta de Tiffany podría encontrar un chico que se pareciese a Carlos I. O, en su defecto, uno que al menos hubiese recibido una paliza recientemente o se estuviera recuperando de alguna enfermedad peligrosa.

El único problema ahora era pensar qué ponerse. ¡Y solo tenían veinticuatro horas para decidirse! Acordaron ir a la mañana siguiente al centro comercial. La falta de vestuario apropiado era una crisis de dimensiones mundiales. Requería una acción heroica. Así que decidieron quedar a las diez de la mañana —en opinión de Jess, en plena noche cerrada.

3.
VIRGO: HOY VENUS TIENE AMNESIA Y MERCURIO SE OPONE AL PROZAC. OLVIDA A ESE HOMBRE LOBO QUE ESTÁ EN EL ARMARIO DE DEBAJO DE LAS ESCALERAS

El padre de Jess le había mandado por SMS uno de sus *horroróscopos.* Pero Jess no estaba preocupada por el hombre lobo que estaba en el armario de debajo de las escaleras. Tenía un problema mucho más preocupante: el tamaño de su culo. Se analizó en los espejos gigantes del probador de Togs'Я'Us. Llevaba puestos unos pantalones elásticos de piel de leopardo. ¿Se le veía el culo grande con ellos? Se jugaba el cuello a que sí.

Geográficamente, el trasero de Jess era una cordillera. El sol salía por encima de él. Enormes aves de rapiña anidaban en sus cumbres escarpadas y cazaban en sus sombras. Si el culo de Jess estuviese equilibrado con una buena delantera, no habría sido tan horrible. Jennifer López, Britney Spears y Serena Williams estaban diseñadas con ese agradable sentido de la proporción. Pero, geográficamente, las tetas de Jess no podían equilibrar su culo de ninguna manera. Su pecho era como una de esas llanuras planas sobre las que se construyen aeropuertos.

Si algún cirujano plástico brillante pudiera rebanarme el culo y transplantármelo al pecho, tendría futuro, pensó Jess. Entonces disfrutaría de un escote majestuoso. Estaba desaprovechado ahí detrás, debajo de los vaqueros. Aunque, bueno, dicen que una elección acertada de ropa puede ser la solución para ocultar defectos y resaltar los puntos fuertes. Y, claramente, esos pantalones elásticos de piel de leopardo no eran lo más apropiado. Con ellos puestos, parecería un leopardo andando como un pato mareado a través de las llanuras. Y los leopardos son gráciles y rápidos como el rayo.

"Flora", preguntó Jess, "¿qué es lo mejor de mi físico?".

Flora llevaba puesto un pequeño top negro y se miraba a sí misma con admiración. El piercing rosa de su ombligo se asomaba con picardía por encima de sus pantalones grises de cintura baja. Estaba divina. El padre de Flora no sabía que se había hecho un piercing en el ombligo. Si algún día lo descubría, él mismo la encerraría en una torre de piedra hasta que cumpliera los treinta. Si eso era lo que significaba tener un padre cerca, se lo podía quedar.

"¿Lo mejor de tu físico?", dudó Flora.

¡Ay!, pensó Jess. *¡No se le ocurre nada que decir!*

"Tus ojos son fantásticos, y tu cuello, y tus orejas. Bueno, eres fabulosa toda tú; Jess, eres muy mona". Flora volvió la mirada con alivio hacia la visión deslumbrante que la esperaba en el espejo.

"¡Pero mi culo es como un hermano siamés gigante!", se lamentó Jess. "Me sigue a todas partes y se atasca en las puertas".

"¡Tu culo es estupendo!", gritó Flora, aunque su voz sonó un poco más aguda de lo normal. "Me encantaría tener un culo en condiciones. Parezco un chico". Ni que decir tiene que Flora se parecía tanto a un chico como una caja de bombones a un pollo asado. Jess suspiró.

Tres horas más tarde, después de haberse probado cerca de tres mil prendas, Jess se decidió por un top negro muy escotado y una falda negra algo rara que parecía un chal. "¡Vaya gitanaza!", dijo Flora con aprobación. "¡Estás espectacular, tía! ¡Ben Jones se va morir cuando te vea! ¡De repente, sentirá el dardo de Cupido en una sala llena de gente!". Habían estudiado a Cupido en clase de Lengua con el señor Fothergill.

Ambas habían intentado colarse por el señor Fothergill, pero les resultaba demasiado gordo y sudoroso. Era más fácil que te gustase un hipopótamo.

Jess dudaba de que le fuera a gustar a Ben Jones, a pesar del escotazo y la falda de gitana. La vida era tan injusta. A todo el mundo le gustaba Ben Jones, sin importar qué llevase puesto. Aunque Flora decía que prefería a su mejor amigo, Mackenzie, que era algo bajo y moreno. "Es una cuestión de biología", explicaba. "A las rubias no les gustan los tíos rubios. Es para evitar la endogamia". Jess no estaba completamente convencida de esto. Después de todo, la familia de Flora al completo era rubia. Puede que el que realmente le gustase a Flora fuera Ben Jones, pero lo ocultaba porque Jess estaba absolutamente colada por él. Sería una actitud realmente leal por parte de una amiga. Pero, por alguna razón, también le hacía sentirse molesta. Si a Flora le gustase Ben Jones, eso la haría sentirse trágica e interesante, y para eso ya estaba ella.

Se separaron, y Jess volvió a casa para prepararse. ¿Cómo podría encajar todo lo que tenía que hacer en seis horas? Flora había regresado a su palacio, donde su abuela (posiblemente pariente cercana de la Reina) estaría repartiendo sacos de oro entre el té y los exquisitos pastelillos. La casa de Jess, por supuesto, estaba vacía, con la excepción de los platos sucios. Su madre había ido a manifestarse contra la guerra. Lo hacía todos los sábados. Casi siempre había una guerra contra la que manifestarse. A Jess, en realidad, no le importaba que se manifestase. Así su madre no se metía en líos y la mantenía fuera de su camino y, además, era gratis. Mientras no terminase en televisión bailando desnuda por la paz. Esa era, sin duda, la peor de las pesadillas de Jess.

Tener una madre que salía a menudo para ir a manis también permitía a Jess navegar por Internet sin tener que soportar gritos como "¡Desconecta eso! ¡Tendremos una factura tan larga como mi brazo!". Jess hizo una búsqueda sobre lencería. Sin darse cuenta, fue a dar con el extraño mundo de los sujetadores con relleno, que no eran pequeñas bolas de algodón, sino algo parecido a bolsas llenas de agua o de silicona.

Las "curvas" están hechas de un gel de silicona especialmente formulado, recubierto por una fina capa de poliuretano semejante a la piel. El material se desarrolló para la investigación espacial y es extremadamente bien tolerado por la piel. ¡Espera un momento! ¿Investigación espacial? ¿Cuál sería el efecto de la gravedad 0?¿No te flotarían las tetas en diferentes direcciones? La lencería fetichista en el espacio era, sin embargo, una idea pasada de moda. Se había hecho hasta la saciedad en el musical *The Rocky Horror Pic-*

ture Show. Además, a Jess no le gustaba el concepto de espacio exterior. Le gustaba tener los pies bien firmes sobre la tierra.

Gracias a Dios que soy un signo de tierra, pensó Jess. Flora era un signo de aire, por supuesto, angelical y etérea. Aún así, aire y tierra no importaban. Lo que Jess necesitaba ahora era agua. Corrió hasta la cocina donde encontró un rollo de esas bolsas de plástico pequeñas, donde las madres suelen envolver los sándwiches de sus amados retoños. No como la madre en cuestión, Madeleine Jordan, en estos momentos protestando contra la guerra mientras su hija se moría irremediablemente de hambre en casa.

Jess llenó con agua una de las bolsitas de plástico, la ató fuertemente y la aseguró con una goma elástica. Era bastante parecido al gel. La sopesó en la mano. De hecho, se movía como tejido mamario. No tenía el suficiente tejido mamario propio como para haber realizado una investigación personal en la materia. Pero había visto un montón de vídeos musicales en la MTV.

Sin embargo, no estaba del todo segura del agua. A lo mejor se oiría un leve chapoteo. ¿Y si tenía una gotera? Jess tuvo un escalofrío al pensar en los charcos por el suelo. Las bromas sobre control de esfínteres durarían una eternidad. A lo mejor había alguna sustancia alimenticia un poco menos líquida que el agua. Jess registró el armario de la comida, y sus ojos recalaron en una lata de sopa. ¡Minestrone!

Meterla en las bolsas era más laborioso y sucio, pero quince minutos después, Jess tenía canalillo. Las bolsas de sopa funcionaban. ¡Sorprendente!

¡Se lo iba a pasar en grande! Ahora todo lo que necesitaba era una carroza de calabaza; de lo contrario, el autobús 109 la llevaría directamente hasta casa de Tiffany. Tan solo le quedaba dedicar cuatro horas y media a sus cejas.

4.
VIRGO: HARÁS DE CANGURO Y, ¡QUÉ VERGÜENZA!, EL BEBÉ DESAPARECERÁ POR EL DESAGÜE

Segundos después de haber llegado a casa de Tiffany, Jess se encontró de pronto, cara a cara, con Ben Jones. Surgió de entre la multitud, con un aire a Brad Pitt. "Hummmm..., ¿has visto a Mackenzie?", dijo, con esa dicción lenta que resultaba tan sexy.

"No", tartamudeó Jess, "acabo de llegar. A lo mejor está...".

Pero Ben Jones ya se había marchado. Hablaba muy despacio; sin embargo, se movía deprisa. Y ni siquiera se había fijado en el escote o en la falda de gitana. La verdad es que estaba muy oscuro y había mucha gente. A lo mejor más tarde surgiría el mágico momento que había pronosticado Flora: sus ojos se encontrarían con los de ella en medio de la sala abarrotada y, de pronto, él se daría cuenta de que... Por lo menos había una sala abarrotada, lista y esperando.

Tiffany vivía en una antigua mansión que había sido reconvertida en pisos. El de su familia ocupaba casi toda la planta baja. Su salón era enorme: tenía un tamaño equivalente a la mitad del gimnasio del colegio. La cocina de Tiffany era increíble y tenía un techo altísimo. Jess encontró allí a Flora, rodeada de chicos y picoteando pizza delicadamente. Llevaba pegadas unas tiras con brillantina en los párpados. Cada vez que parpadeaba, producía un destello de luz.

"¿Dónde demonios conseguiste eso?", preguntó Jess con asombro.

"¡Me las dio mi abuela! Fue muy moderna en su día", dijo Flora. "Son una pasada, ¿verdad? Pero me pesan los párpados. Creo que no tardaré mucho en irme a la cama". Los chicos que la rodeaban la miraron extasiados ante semejante pensamiento. Habrían hecho cola solo para arroparla y contarle un cuento. "A lo mejor, tengo que arrancármelas", suspiró Flora. El grupito de admiradores reunido a su alrededor se volvió a estremecer.

"¡Relajaos!", exclamó Jess. "¡Solo está hablando de unas tiras con brillantina!".

Nadie había reparado en el escote de Jess. No sabía si estar agradecida o furiosa. Decidió que daba igual.

Comenzaba a oler a minestrone, lo que era bastante desafortunado. Se había rociado con el Calvin Klein de su madre. Pero el olor a sopa estaba ganando. Jess estaba un poco preocupada. No se debería oler la sopa a menos que se hubiese escapado un poco, ¿no? Se miró el canalillo. Bueno, alguien tenía que hacerlo. No había ninguna señal de que algo fuese mal.

Flora echó la cabeza hacia atrás y aleteó sus brillantes pestañas en dirección al techo. "¡Es una pasada de cocina!", exhaló. "Tiene que ser realmente antigua. Es como un palacio o algo parecido. Puedes imaginarte perfectamente a una princesa sentada aquí, después de una noche en un baile, tomando una taza de chocolate caliente y contándole todo a su mayordomo". Jess a veces sospechaba que, en sus sueños más íntimos, Flora imaginaba ser una reencarnación de la princesa Diana de Gales. A pesar de que no podía ser, porque Flora había nacido antes de que la princesa Diana muriera.

El rumor de que un vídeo guarro se estaba proyectando en una de las habitaciones se extendió entre la multitud, y los chicos desaparecieron.

"¿Crees en la reencarnación?", caviló Jess.

"No lo sé", suspiró Flora. "¿Y tú?".

"Sí", dijo Jess. "Estoy segura de que tuve una vida anterior en el antiguo Egipto. ¡Como escarabajo pelotero!".

"¡Me gusta tanto el antiguo Egipto!", suspiró Flora. "Me encantaría tener una peluca negra para poder ir a las fiestas como si fuera Cleopatra".

Este último comentario le molestó un poco a Jess. Se suponía que ella era la morena. Flora tenía la belleza rubia de una diosa en un cuadro. ¿No era suficiente? En el preciso instante en que Jess estuvo preparada para empezar a odiar un pelín a Flora, esta se deslizó de la silla para prepararle un sándwich de crema de queso y pepinillos.

"¿No me ves algo diferente?", preguntó Jess, a mitad del sándwich.

"Tu pelo. ¡Llevas el pelo genial! ¿Cómo te lo has recogido así?".

"No, no es mi pelo, tonta del culo".

Los ojos de Flora la recorrieron de arriba abajo. "¡Dios mío! ¡Tus medias! ¡Fantásticas! ¡Las medias de rejilla son de lo más sensual! ¡Son tan París!".

"¡No son mis medias, idiota!", chilló Jess. "¡Es mi canalillo!".

Flora inspeccionó el escote de Jess. "¡Es estupendo!", dijo. "¡No sé por qué estás tan preocupada! ¡Tienes un canalillo perfecto! ¡Míralo, está bien!".

Jess se sintió muy deprimida. Así que Flora pensaba que este era su canalillo de verdad. De pronto, decidió que no le contaría a Flora nada acerca de las bolsas de sopa. Sería un secretillo entre ella y sus tetas (que, por cierto, se llamaban Bonnie y Clyde).

Jess había desarrollado el hábito de hablar con sus tetas. "¡Creced, vagas, hijas de tal!". Ese tipo de cosas. Solo en privado, claro. De ahí a darles un nombre solo había un pequeño paso. La madre de Jess no quería mascotas en casa. La gran ventaja de las tetas sobre los perros era que no las tenías que pasear, sino que se paseaban contigo. Cada vez que Jess iba a la tienda de la esquina a por un pintalabios, Bonnie y Clyde salían también a dar una vuelta. Y las tetas de Jess estaban teniendo su mejor excursión hasta la fecha. Jess terminó su sándwich y se fue con Flora al salón, donde la música rap salía a todo volumen de los enormes altavoces de Tiffany. Puede que Ben Jones no hubiera reparado en el canalillo de Jess, o incluso que Flora no lo hubiera visto, pero Whizzer se fijó en él al momento.

Whizzer (William Izard para su familia) era un chico deportista un par de años mayor que Jess y Flora. Jugaba al fútbol con una energía demoníaca. Era muy malhablado y tenía una espantosa reputación por sus modales. Se puso delante de Jess y, de un modo grosero y brusco, interrumpió su conversación con Flora agarrándola del brazo y empujándola hacia la masa de gente que bailaba.

No era el tipo de invitación amable que hubiese querido, pero Jess empezó a bailar. A medida que se deslizaban y giraban, Whizzer fijó su mirada en el escote. Jess comenzó a lamentarse de no haberse puesto un top discreto que le hubiese tapado hasta, bueno, ¡hasta las cejas! Ojalá hubiera probado a bailar delante de su espejo de cuerpo entero antes de salir de casa. Temía que sus nuevas y turgentes tetas se estuvieran descontrolando. Bonnie (la izquierda) parecía empezar a moverse con demasiada libertad, y, de hecho, sentía que no todo estaba en su sitio. Jess también empezó a preocuparse de que la sopa, al agitarse tan violentamente, se pudiera salir de la bolsa.

Por el rabillo del ojo, vio a Flora bailando agarrada a Mackenzie, el amigo de Ben Jones. Aunque bajito, Mackenzie era bastante guapo desde un punto de vista poético y enigmático. De hecho, probablemente era lo más parecido que había en las inmediaciones al rey Carlos I de Inglaterra. Jess no estaba segura de si tenía un tormentoso y oscuro secreto, pero, si no era así, estaba convencida de que se podría inventar alguno para él. Sería maravilloso si Flora saliese con Mackenzie y ella con Ben Jones. Sin embargo, primero se tenía que librar de Whizzer.

Cuando terminó la canción, intentó retirarse con elegancia hacia la cocina, pero Whizzer se abalanzó sobre ella. La rodeó con los brazos y le metió la lengua hasta la garganta. Jess estaba asqueada. Sabía a tabaco. Y Ben Jones podía estar observándola desde algún punto cercano. Forcejeó levemente. Es difícil encontrar una disculpa educada y marcharse cuando la lengua de un tío está llegando a tu estómago. Las heroínas de Jane Austen no tenían que soportar este tipo de situaciones. Jess intentó escabullirse con una excusa educada del tipo *no es nada personal,* pero Whizzer no paraba.

Empeoró. Whizzer empujó a Jess contra la pared, sin interrumpir ni un segundo el besuqueo. Entonces, agarró su teta izquierda (Bonnie) y la estrujó con fuerza. Hubo una explosión interna, y un chorro de minestrone salió disparado y alcanzó a Whizzer en la mandíbula. Soltó a Jess y se tambaleó hacia atrás, agarrándose la barbilla manchada de sopa y soltando tacos. Jess aprovechó el momento. Fuera, en el distribuidor, había un cuarto de baño. Alguien había colgado un cartel de *Chikas* en la puerta. En el otro baño, ponía *Chikos*, y se llegaba hasta él atravesando la habitación de los padres de Tiffany.

Jess corrió hasta llegar a *Chikas* y cerró el pestillo de golpe. Había un inodoro, un lavabo y una estantería ancha encima de este con un espejo enorme. Tiffany lo había decorado para la fiesta con toneladas de hojas y flores. Pero Jess no tenía tiempo para admirar la decoración. Se libró de su top negro escotado y sacó los implantes de minestrone de su sujetador. El izquierdo, pinchado por la lujuria de Whizzer, había explotado alrededor de Bonnie. Jess arrojó ambas bolsas por el inodoro y tiró de la cadena. Entonces, desnuda de cintura para arriba, comenzó a limpiar los restos de zanahoria picada y macarrones de sus tetas. "Lo siento Bonnie", se disculpó. "Pero es tu maldita culpa. Si tú y Clyde hubieseis hecho lo que está mandado y crecido un poquito, ¡jamás se me hubiese pasado por la cabeza la idea de los implantes!".

Después, lavó el sujetador y se lo volvió a poner. Hay sensaciones más desagradables que colocarse un sostén empapado (ponerse unas bragas mojadas de agua, posiblemente, gane por goleada), pero, de cualquier manera, era algo insufrible. Todavía había sopa en el inodoro. Parecía que alguien había vomitado. La idea era tan repugnante que por un instante estuvo a punto de vomitar ella, pero se contuvo a tiempo, imaginando que estaba haciendo compras de Navidad en Nueva York. Nunca había estado en Nueva York, pero la fantasía consumista era una cura infalible para las náuseas. Cerró los ojos y tiró de la cadena otra vez.

Ya completamente vestida (aunque calada), estuvo lista para marcharse. Si hubiera habido una ventana en el cuarto de baño, habría saltado por de ella. Por lo menos, cuando saliese del cuarto de baño estaría en el recibidor, a un par de metros de la puerta principal. Se le había corrido el rimel. No importaba. En dos segundos estaría en la calle. La maravillosa, oscura y anónima calle.

Jess abrió la puerta, salió disparada y casi se estrelló contra Ben Jones. "Hummm, hola, Jess, te estaba buscando...", dijo con una sonrisa extraña. ¡Lo sabía! ¡Todo el mundo lo sabía! ¡La noticia de su hecatombe con la sopa habían llegado a toda la provincia!

"¡Lo siento!", dijo Jess. "Tengo que marcharme a casa; mi madre acaba de llamar, no se encuentra bien". Lo empujó a un lado, demasiado disgustada como para disfrutar del fugaz contacto con su camiseta, y corrió hasta la calle. No la siguió, gracias a Dios. Quería estar *sola en casa* lo antes posible. La parada del autobús 109 estaba demasiado cerca de la casa de Tiffany. Cualquiera que saliese de la fiesta la vería esperando.

Desgraciadamente, para parecer moderna y sexy, Jess se había puesto sus tacones mega-altos, así que tendría que tambalearse durante todo el camino a casa.

¡Qué pesadilla!, pensó Jess al llegar a su calle. *Sería imposible que las cosas fueran a peor.*

5.
VIRGO: EL HADA DE LA BASURA VENDRÁ DE NOCHE Y LLENARÁ TUS DEPORTIVAS DE CACA DE VACA

Cuando entraba por la puerta, se encontró a su madre de pie en el vestíbulo. Tenía una mirada peculiar. Jess la reconoció instantáneamente. Era la misma mirada que tenía cuando le rompió su muñeca de porcelana al dejar caer encima un buda de cobre. No intencionadamente, por supuesto. La madre de Jess no era una sádica, solo era propensa a los accidentes. Ahora parecía recelosa y culpable, con los ojos brillantes y esquivos. Tenía la mirada de un perro que se ha hecho pis en la alfombra y espera librarse del castigo.

"¡¿Qué?!", preguntó Jess. Era importante tomar la iniciativa en momentos como este.

"Has vuelto pronto", su madre frunció el ceño. "¿Va todo bien?".

"La fiesta era un horror", dijo Jess, "y estos zapatos me están matando. Necesito darme un baño". Se quitó los zapatos y caminó a lo largo del pasillo hacia la intimidad de su cuarto, con el consuelo de sus pósteres de Eminem y de su viejo osito de peluche Rasputín.

La habitación de Jess era lo único perfecto en su vida hogareña. Estaba en la parte trasera de la planta baja y tenía vistas al jardín. Eso hacía que fuera completamente privada, porque nadie podía mirar por la ventana. Era silenciosa (excepto cuando Jess invitaba a Eminem a salir de la caja del CD) y bastante grande. Y le habían dejado pintarla de morado.

Pero su madre le cortó el paso con un movimiento intranquilo. Jess arrugó el entrecejo. "¿Qué?", preguntó otra vez. Su madre era una pacifista cuando se trataba de las relaciones internacionales, pero era capaz de iniciar una guerra en casa.

"¡Tengo una gran noticia que darte!", exclamó sonriendo, pero su sonrisa vaciló y se resquebrajó un poco. ¿Qué tipo de noticia? La loca y sórdida imaginación de Jess se desató: *Una gran noticia... ¿Se habría cagado una mofeta en su ropa interior?*

"¡La abuela se viene a vivir con nosotras!", exclamó su madre. Lo dijo a toda velocidad, tan rápido que sonaba como *Laabuelaseviene avivirconnosotras*. Como si la prisa fuera a evitar algún problema grave.

Jess consideró la propuesta. Quería a su abuela. Vale, estaba ligeramente obsesionada con la muerte y en muchas cosas estaba un poco chapada a la antigua. Y podía ser mortalmente aburrida cuando contaba historias del pasado, especialmente cuando trataban de su tema favorito: accidentes espantosos e incendios fatales que marcaron mi trágica infancia. Pero, si venía a vivir con ellas, por lo menos no tendrían que ir a visitarla a esa casa sombría que apestaba a arenques.

"Guay", dijo Jess. "Por favor, ¿puedo irme ya a mi habitación, mamá?".

Su madre seguía cerrándole el paso. "El caso es, cariño...". ¡Ay! ¡Esto era serio! Mamá nunca la llamaba *cariño* a menos que alguien hubiese muerto o se hubiese iniciado una guerra. "Lo siento de verdad, Jess, pero va a utilizar tu habitación".

"¡Mi habitación!", explotó Jess. "¡Hay una habitación completamente vacía arriba!".

"Sí, pero, verás, cariño..., la abuela no se puede manejar con las escaleras tan fácilmente como antes. Desde que murió el abuelo y tuvo aquella caída, sabes..., bueno..., su casa es demasiado para ella sola". Jess estaba paralizada por la noticia. ¡Su maravilloso cuarto! ¡Y había conseguido que fuese exactamente como ella quería! ¡Era perfecto! "La abuela tiene que tener un cuarto en la planta baja, mi amor. Puede utilizar el inodoro que hay allí, y convertiremos la vieja carbonera en un cuarto de baño en condiciones".

Jess estaba demasiado furiosa para hablar. No, espera, no lo estaba. "¿Y dónde se supone que voy a dormir yo?", bramó. "¡¿En la acera?!".

"No seas tonta, mi amor. Hay una habitación libre arriba". La madre de Jess tenía la mejor habitación del piso de arriba, que daba a la parte delantera. La segunda mejor habitación era su estudio. Forrado de estanterías, con tres archivadores y una mesa inmensa, estaba completamente desbordado de libros y otras cosas que tenían que ver con el rollo político. En este punto neurálgico se organizaba la campaña antibelicista. Había papeles por todas partes, enormes pilas de panfletos, miles de ellos. Y estaban las pancartas que la madre de Jess llevaba a las manifestaciones. La tercera habitación era diminuta. Apenas suficientemente grande como para encajar una cama. En absoluto adecuada para alojar a un ratón. Tan pequeña que difícilmente podías tumbarte sin sacar las piernas por la ventana o apoyar la cabeza en el rellano.

"¿Por qué no puedo utilizar tu estudio?", imploró Jess.

"Jess, cariño, tú sabes por qué no. Necesito ese estudio. Hay tanto material ahí dentro. Sabes que tengo que continuar con la campaña por la paz, mi amor. Es por tu generación, para daros un futuro. Para parar la guerra".

"¿Pues sabes una cosa? ¡Me encanta la guerra!", estalló otra vez el carácter de Jess. Una oleada de furia la envolvió. "¡Creo que la guerra es fabulosa! ¡Y cuando acabe el colegio, pienso alistarme en el ejército y matar a toda la gente que pueda! ¡Ahora deja que vaya a mi cuarto, posiblemente por última vez". Empujó a un lado a su madre para pasar.

¡Dios mío! ¿Qué había pasado con su cuarto? Habían sacado toda su ropa de los cajones y la habían metido en cajas de cartón. Los pósteres de Eminem estaban enrollados. Ya no era su habitación. Estaba desahuciada.

"¡Parece que ha caído una bomba!", gritó Jess. Habitualmente era su madre quien gritaba esas mismas palabras acerca de su cuarto. Era el momento de la venganza. Pero no la reconfortaba ni lo más mínimo.

"¡Si alguna vez hubieses visto una habitación en la que realmente hubiera caído un bomba, no utilizarías tan a la ligera esa expresión!", replicó la madre de Jess, intentando hacerla sentir culpable de una manera realmente cruel.

"He empezado a empaquetar tus cosas, porque el caso es que la abuela se muda aquí mañana. Tenemos muy poco tiempo. Su vecina me llamó esta tarde. Aparentemente tiene un esguince en los ligamentos de la rodilla y será mucho más fácil cuidarla aquí".

"Vale, vale, ¡me hago una idea de la película!". Jess se agachó y metió algunas prendas de ropa en una bolsa: sus vaqueros, una camiseta, una sudadera, unos calcetines de los calentitos y unas deportivas.

"¡Esa es mi chica!", añadió, conmovida, su madre. "Eres un encanto, Jess. Entre las dos lo arreglaremos rápidamente".

"¡No estoy intentando ayudarte!", vociferó Jess. "¡Como claramente soy un estorbo, me marcho! ¡Ahí tienes mi habitación! ¡No estaré aquí para molestarte!".

Se dirigió a grandes pasos hasta la puerta y salió dando un portazo. Corrió calle abajo, (descalza, por supuesto, aunque con las medias de rejilla) y no paró hasta llegar a una parada de autobús donde, bajo la marquesina, se puso los calcetines y las deportivas, obviamente, encima de las medias.

Tenía una pinta horrible de rodillas para abajo, además, su sujetador seguía empapado y se moría de ganas de quitárselo, pero no podía hacerlo en mitad de la calle. Era como una pesadilla. Tenía que encontrar un sitio donde ponerse los vaqueros.

Sus pies estaban llenos de ampollas de los horribles

zapatos de tacón. Pero los calcetines la aliviaban algo. Jess caminó cojeando calle arriba. Más allá, había un centro comercial con aseos públicos. Iría al cuarto de baño de señoras para cambiarse de ropa. A lo mejor, incluso podría quedarse a vivir allí. ¿Dónde iba a pasar el resto de la noche? Podría ir a casa de Flora y esperar a que regresase de la fiesta. ¡Ojalá los padres de Flora la adoptasen! ¡Ojalá un caballero agradable e increíblemente rico la encontrase y se la llevase a su casa, como en las novelas de época!

No, espera, eso suena un poquito pervertido en los tiempos que corren. Mejor una dama agradable e increíblemente rica. O una amable anciana, directora de cine en Hollywood, que dijera: " Puedo convertirte en una estrella de cine. Para empezar, estamos buscando a alguien que pueda hacerle el contrapunto a Brad Pitt. Podemos conseguirte un nuevo par de tetas, no hay problema. Elige uno en este catálogo. Tengo una casa junto al océano, y tendrás tu propia habitación con balcón. Allí podrás desayunar zumo de naranjas de California recién exprimidas y panecillos tostados, mientras pájaros de color turquesa cantan dulcemente en los limoneros cercanos. Y como no tengo hijos, Jess, te voy a nombrar mi heredera".

Jess llegó al aseo de señoras. Estaba cerrado con llave.

6.
VIRGO: TE DORMIRÁS CON LA BOCA ABIERTA Y UNA FAMILIA DE INSECTOS SE QUEDARÁ A VIVIR EN ELLA

¿Y ahora, qué? No podía llamar a Flora. No quería que le recordasen la peor fiesta de la historia. Tampoco quería oír ninguna broma sobre sus tetas ni sobre su invento para calentar sopa. A lo mejor este era el momento de emigrar a Australia o de empezar una carrera como carterista o ratera. Por otro lado, hacía frío y estaba hambrienta (¡y necesitaba un cuarto de baño!). Una vez más, Jess deseó ser un perro, a poder ser el de Brad Pitt.

De pronto, se dio cuenta de que podía ir a casa de Fred. Vivía a la vuelta de la esquina y había dicho que pensaba pasar la noche tirado en el sofá viendo algo terriblemente violento en la tele. Seguro que no sabía nada de la situación humillante por la que había tenido que pasar en la fiesta. ¡Y tenía un cuarto de baño! Jess corrió a casa de Fred y llamó al timbre. Fred apareció despeinado y hecho un desastre tras horas de estar viendo vídeos violentos. Sin embargo, parecía contento de verla.

"Mis padres están fuera, bebiendo hasta cavarse su propia tumba", explicó. La invitó a pasar y le indicó que se sirviera café.

"En un minuto", dijo Jess. " Deja que primero vaya a cambiarme de ropa al cuarto de baño. ¿Puedo darme una ducha, por favor?".

"Claro", dijo Fred. "Como soy un sinvergüenza adorable, con hábitos personales repulsivos, nunca realizo actos higiénicos. Pero he visto una ducha en el cuarto de baño y creo que funciona".

Nunca antes una casa le había parecido tan acogedora, agradable, moderna y limpia. El cuarto de baño estaba impoluto. Jess se dio una maravillosa y larguísima ducha. Hasta el último resto de minestrone desapareció de su cuerpo camino del olvido. El aroma a menta y a té del gel de la madre de Fred reemplazó el olor a sopa. Jess se lavó después el pelo con un champú de caléndula y ortigas, y lo acondicionó con madreselva y rosa silvestre. Era lo más cerca de la jardinería que había estado en su vida.

Después de secarse, Jess probó todas las cremas hidratantes y lociones corporales de la madre de Fred. Había algo secretamente delicioso en fisgonear los armarios de los cuartos de baño ajenos. Jess encontró unas pastillas llamadas *Pariet*, recetadas para el padre de Fred. Lo supo porque su nombre estaba escrito en la caja: Sr. David Parsons. Se preguntó si serían para algún tipo de dolencia obscena, pero desafortunadamente la etiqueta no revelaba detalles indiscretos.

Debe ser un poco raro tener un hombre viviendo en casa. La verdad es que nunca se había quedado con su padre desde que hace unos años se mudara a Saint Ives. Venía frecuentemente a visitar a sus amistades, y era cuando Jess lo veía. Se sintió triste durante un momento, pensando en unas imaginarias pastillas que su padre tendría en su solitario cuarto de baño. "Sr. Tim Jordan, tres pastillas, una vez al día por las mañanas". ¿Y si se caía muerto en su estudio? ¿Lo encontraría alguien alguna vez? Una lágrima resbaló por la nariz de Jess. ¡Maldito síndrome premenstrual! Mañana sería peor, le harían llorar las canciones de cuna y los anuncios de pan integral.

Se vistió con la ropa cómoda que había cogido de casa (aunque sin sujetador, por supuesto, porque no había cogido uno de repuesto) y bajó al salón. La película continuaba. "Lo siento", dijo Fred, "solo cinco minutos más. Quiero volver a ver la matanza. Hay una secuencia en la que se producen varias decapitaciones en un supermercado que es excelente".

"¿Por qué os interesa tanto a los chicos todo lo relacionado con la sangre y la violencia?", dijo Jess. "Si fueras un ser humano decente, me estarías ofreciendo un delicioso tentempié en vez de regodearte en atrocidades que tú mismo dices que te sabes de memoria".

Al instante, Fred clavó el dedo en el mando a distancia y la televisión se apagó. Se hizo un gran silencio. "Bueno, ¿qué tal la fiesta?", preguntó.

Jess suspiró. "La fiesta fue un horror. Sufrí una humillación total, indescriptible. Después me fui cojeando hasta casa porque llevaba puestos unos zapatos diseñados por un sádico misógino. Y allí descubrí que mi madre me había echado de mi cuarto porque mi abuela se viene a vivir con nosotras mañana. Así que soy una *sin techo*".

"¿Y eso son problemas?", dijo Fred. "Esta tarde mis padres han escenificado un pacto de suicidio en la caseta del jardín rociándose con pesticidas. Dejaron una nota diciendo que yo no soy su verdadero hijo, sino que Satán se lo entregó durante una visita que hicieron a Weymouth en 1990. Poco después, a las seis y media, mi pierna izquierda se gangrenó y la perdí, y mis orejas comenzaron a bombear la bacteria que destruirá el mundo. Y lo peor de todo es que la pizza está caducada".

Jess empezaba a sentirse mejor. Inspeccionó la cocina de Fred y descubrió que había estado mintiendo sobre la pizza. Estaba perfecta, jugosa y con el tipo de pepperoni que más le gustaba.

"Perdón", reconoció él, era simplemente una excusa. Me sentía demasiado vago como para meterla en el horno, así que me he dado un atracón de sándwiches de manteca de cacahuete".

"¡Inútil, holgazán, zángano ególatra, machista explotador!", le recriminó Jess, que con el paso de los años había aprendido unos cuantos insultos útiles de su madre. Siempre que estaba con Fred, empezaba a hablar como él con expresiones despectivas anticuadas y complejas. "Así es como se enciende un horno, aunque no espero que seas capaz de dominarlo a la primera". Jess giró el temporizador, y en veinte minutos estaban atacando una pizza crujiente acompañada de un zumo de naranja recién exprimido. Luego se sentaron en el salón, cada uno en un sofá, y vieron la MTV.

Finalmente, llegaron los padres de Fred. No parecían borrachos en absoluto, y Jess se sintió inmensamente aliviada. El padre de Fred entró primero. "Hola", entonó con su aburrida voz de cura. "¿Qué ha pasado?".

"¡Lo siento!", dijo Jess, levantándose rápidamente y poniendo su expresión más inocente y lastimera. "Tuve una discusión con mi madre y me he refugiado en vuestra casa. Lamento la intrusión".

El padre de Fred le dirigió una mirada sorprendida. “No”, aclaró, “me refiero al resultado del partido”.

“Fútbol”, puntualizó Fred mientras le entregaba el mando a distancia a su padre. En cuestión de segundos, el insoportable ruido del fútbol bloqueó cualquier posibilidad de conversación. Jess se marchó a la cocina, donde oía a la madre de Fred trastear.

Jess se disculpó por comerse la pizza y haber dejado la cocina hecha un asco. También le agradeció su hospitalidad. Había sido educada por una mujer que creía más firmemente en la cortesía de lo que nunca nadie había creído en Dios. *Espero haber puesto todos sus cosméticos y cremas en el sitio correcto*.

La madre de Fred era siempre muy agradable y cariñosa. Tenía el pelo esponjoso y parecía un osito de peluche. “Siempre eres bienvenida, Jess, gracias por hacer compañía a Fred”, dijo. “¿Quieres quedarte a pasar la noche? Puedes quedarte en la habitación de Fred, y él puede dormir en el sofá”.

“¡Oh!, ¿podría?”, exclamó Jess, complacida. “He tenido una discusión tremenda con mi made y no creo que pueda mirarla a la cara esta noche”.

“De acuerdo, pero, si no sabe dónde estás, tenemos que llamarla”, dijo la madre de Fred. “No te preocupes, Jess, yo hablaré con ella”.

En cuestión de segundos, se había cerrado la operación. La madre de Jess fue informada sin que Jess tuviera que hablar con ella, sentirse incómoda o disculparse. La verdad es que era el mejor osito de peluche del mundo, aparte de Rasputín. "¡Te lo agradezco un montón!", manifestó Jess.

"Oh, no, Jess. Es un placer tenerte con nosotros. Puedes venir siempre que quieras. Además, tu madre es una persona maravillosa". Jess la miró boquiabierta. ¿Su madre una persona maravillosa? ¿Se le habían cruzado los cables a la madre de Fred y estaba pensando en realidad en la madre de Flora? "Es un modelo para todos nosotros", prosiguió mientras le preparaba a Jess una taza de chocolate caliente sin ni siquiera ofrecérsela primero, ¡era una auténtica santa! "Es apasionada y positiva, y se preocupa de verdad por intentar construir un mundo mejor. Además, tiene una estructura ósea magnífica".

Le parecieron unas declaraciones sorprendentes. Era ciertamente novedoso para Jess que su madre fuera admirada entre sus conocidos y, aún más, que resultara atractiva en lo concerniente a su estructura ósea, pero decidió disfrutar esa sensación en lugar de discutir. En el fondo, sabía que su madre era una bruja rancia con pelo de rata, pero las relaciones públicas son muy importantes en el mundo de hoy, y sacar a relucir la triste realidad no la haría ningún bien. En esa casa, era recibida como la hija de una activista política apasionada, positiva y atractiva, ¿para qué discutir?

Una hora más tarde, Jess estaba instalada en la cama de su amigo. La madre de Fred había insistido en cambiar las sábanas y ofrecerle un pijama de su hijo. "Te prestaría uno mío", le confesó, "pero la verdad es que duermo tal y como me trajeron al mundo". Jess intentó no reírse a carcajadas. La idea de los padres de Fred durmiendo en pelotas le parecía demasiado fuerte como para soportarla. Se limitó a esperar que eso no significara que fuera a oír nada raro en el dormitorio de los padres de Fred durante la noche.

Fred pareció encantando ante la perspectiva de pasar la noche en un saco de dormir encima del sofá. Había películas especialmente violentas durante la madrugada: películas demasiado escabrosas para menores de dieciocho, para menores de cuarenta, e incluso películas *solo aptas para ciegos y sordos.*

A Jess le costó dormirse. No podía evitar pensar que hubiera acabado durmiendo en el suelo del baño de señoras si hubiera estado abierto. Había algo extrañamente sugerente en dormir en la cama de Fred. Y una especie de emoción perversa en utilizar su pijama, aunque a ella nunca le hubiese gustado Fred, por lo menos, conscientemente.

¡Sabe Dios lo que hubiese ocurrido de haber recibido tamaño alojamiento de la madre de Ben Jones! Si alguna vez tuviese la oportunidad de ponerse el pijama de Ben Jones, no se volvería a duchar jamás. Nunca se lo quitaría. Lo llevaría puesto durante el resto de sus días, aunque fuera una viejecita. Pero no, no debía pensar en Ben Jones. Había presenciado su humillación pública y, desde entonces, seguro que la consideraba una completa imbécil. Como todo el mundo.

7.
VIRGO: HOY LA LUNA ESTÁ EN URANO Y VENUS ESTÁ TRANSITANDO MENTOL, ASÍ QUE LA PROBABILIDAD DE QUE UN PASTOR ALEMÁN SE MEE EN TU MOCHILA ES SUPERIOR A LA MEDIA

Jess estaba caminando por una calle, una muy transitada, tal vez Oxford Street. La gente que pasaba a su lado se le quedaba mirando. Se dio cuenta de que, de cintura para arriba, solo llevaba puesto un sujetador. Ni camiseta, ni top. La miraban con lascivia y se burlaban. Desesperada, se sintió consumida por una vergüenza horrible. De repente, se levantó la rejilla de una alcantarilla en mitad del pavimento. Fred se asomó y le tendió una mano.

"¡Vamos! ¡Rápido!", dijo sonriendo, y Jess saltó dentro, junto a él. La tapa se cerró pesadamente sobre sus cabezas. Fred no la soltó ni un momento. Corrieron de la mano por una playa muy larga donde el mar rugía y se estrellaba. En lo alto, pájaros relucientes daban vueltas y realizaban descensos vertiginosos, y el arco iris bailaba entre la bruma de las olas. "¡¡Vamos a ver al tigre!!", gritó Fred. Jess no sabía qué quería decir, pero se aferró a su mano. Estaba caliente.

Se despertó sobresaltada. Durante medio segundo pudo seguir sintiendo el calor de la mano de Fred; luego se desvaneció. Estaba en el dormitorio de Fred. En la pared había un póster deprimente con una escena de una guerra intergaláctica. Bienvenida al mundo de la testosterona. Eran las ocho en punto de la mañana. En su casa, por supuesto, Jess se hubiese dado media vuelta y hubiese continuado durmiendo durante cuatro horas más: un gran lujo que se permitía los domingos. Pero podía escuchar a alguien moviéndose en el piso de abajo, así que se levantó y se vistió rápidamente.

La madre de Fred estaba preparando té. "¿Quieres té, Jess? ¿Un gofre?".

"¡Un gofre! ¡Sí, por favor! ¡Podría vivir aquí para siempre! ¿Estáis buscando un inquilino?".

La madre de Fred se rio. "Desayunaremos aquí. Fred está profundamente dormido en el sofá". Cerró la puerta de la cocina. "Tiene la boca completamente abierta, como si estuviera cantando. ¿Has visto a Fred alguna vez durmiendo?".

"¡Muchas veces!, se rio Jess. "¡Recuerda que vamos juntos a Francés, Lengua e Historia!".

El ambiente en la cocina era cálido y alegre. Un gato dormitaba en la cesta de la colada junto a las cristaleras. La luz del sol brillaba en el jardín. "¡Me encanta esta época del año!", dijo la madre de Fred, mientras colocaba habilidosamente un gofre en un plato y le alcanzaba a Jess el sirope de arce. "Verano, flores por todas partes, amanece temprano. Y no falta mucho para las vacaciones, ¿eh?". Jess asintió. Los adultos a menudo hacían discursos entusiastas sobre el verano, las flores... La madre de Jess incluso hablaba con pasión de sus judías. Y cuando llegaba la época de desenterrar las primeras patatas, entraba en casa con las manos llenas de barro y una sonrisa de auténtico éxtasis. A lo mejor era porque no había ningún hombre en su vida.

Jess se preguntaba cómo sería tener un padrastro. Frecuentemente había fantaseado con reclutar uno rico. Pero suponía que ningún hombre con dinero miraría a su madre dos veces. Era el tipo de mujer a la que solo admiraban otras mujeres. Ni siquiera se depilaba las cejas, ¡parecían un seto en mitad de una ventisca!

De todos modos, a Jess tampoco le gustaría tener en su vida a un hombre que quisiera controlarlo todo, como el padre de Flora. El padre de Fred parecía agradable. Grande, insulso, achuchable, adicto al fútbol. ¿Qué más se podía esperar del género masculino? Ser hombre tiene que ser terriblemente aburrido. El ruido de unos hinchas viendo un partido de fútbol deprimía a Jess tanto como cantar himnos religiosos los domingos. Parecía que todos los hombres tenían que ser unos locos del deporte. Aunque, pensándolo bien, el padre de Jess no estaba interesado en ninguno.

Hacía mucho tiempo que no lo veía. Pero vendría a la ciudad durante las vacaciones de verano. Era el polo opuesto al padre de Fred. Delgado, nervioso y nada achuchable. En las pocas ocasiones en que Jess veía a su padre, él le daba un abrazo cuidadosamente, como si se hubiese preparado para ello leyendo un manual titulado *Cómo abrazar a tu hijo* y tuviese miedo de hacerlo mal. ¡El muy idiota!

El gofre estaba delicioso, y la madre de Fred, un ángel sobre la Tierra, intentó tentarla con otro.

"No, no, muchas gracias, de verdad, no puedo", dijo Jess. "Debo irme a casa porque tenemos que organizarnos para cuando llegue la abuela. Tengo que cambiarme de cuarto".

"¡Qué faena!", se compadeció la madre de Fred. "Pero piensa en todos los puntos extra que vas a acumular. ¡Tu madre se va a sentir tan culpable que no volverá a decirte que no nunca más!".

Jess no lo había visto desde ese punto de vista. Desde luego, era un pensamiento alentador. Dio las gracias a la madre de Fred y se dirigieron de puntillas hasta la puerta principal. Al pasar junto al salón, miraron hacia el interior un instante. Fred estaba profundamente dormido, con medio cuerpo fuera del saco de dormir. Pero su boca ya no estaba abierta; de hecho, se estaba chupando el pulgar. *Dios mío*, pensó Jess, *¡qué increíblemente tierno!*

"¡Por amor de Dios, no se lo digas a nadie!", cuchicheó la madre de Fred. "¡Jamás lo superaría!".

Jess llegó a casa en cinco minutos, pero podía sentir que con cada paso se disipaba su estado de ánimo cálido y positivo, y un presentimiento gélido invadía su cuerpo. Se preguntaba apesadumbrada cómo iba a meter todas sus cosas en esa habitación diminuta. Tendría que meter debajo de la cama sus pósteres gigantes de Eminem, Foo Fighters e Incubus. ¿Y su ropa? Ni siquiera había un armario, solo una cómoda enana, tal vez lo suficientemente grande para meter un modelito de la Barbie.

Y, ¡oh, Dios mío! ¡Sus veintiocho barbies! No había jugado con ellas desde hacía muchos años, por supuesto. Bueno, puede que fueran solo algunos. Vivían en una caja de cartón gigante debajo de su cama, y siempre las guardaría. Quizá para cuando tuviera una hija (mediante ingeniería genética o clonación; ningún hombre querría casarse con ella). Eran parte de su historia.

Era una especie de habitación-caja; no más grande que un sarcófago. ¡Sería como estar enterrada! Puede que, después de todo, no guardase sus barbies. Haría una gran hoguera en el jardín trasero. Quemaría su ropa. Todos sus juguetes viejos (excepto su osito Rasputín, obviamente, que era más un gurú y un entrenador personal que un juguete). Quemaría sus CD y el equipo de música. Y todo su maquillaje. Se afeitaría la cabeza, y el cabello ardería con todo lo demás. Llevaría puesto un pijama negro de estilo oriental. Dormiría en la habitación-caja sobre un catre hecho con juncos. El único objeto que habría en el cuarto sería una sencilla taza blanca para sus lágrimas.

Para cuando llegó a casa, tenía un nudo en la tripa y deseó no haberse tomado el gofre. De hecho, había cierto peligro de que, en cualquier momento, el gofre pudiera volver a nacer en el sentido más escatológico. Le aterraba ver a su madre. ¿Estaría enfadada? ¿Cómo de enfadada? ¿Se habría vuelto loca de remate y estaría agachada en una esquina farfullando, con la ropa hecha jirones y muesli en la cabeza?

Pero el coche de su madre no estaba. ¡No podía ser! ¿Habría ido a despeñarse desde un acantilado después de haber escrito una nota?:

Debido a los problemas que he tenido con mi hija, no deseo seguir siendo una carga para ella.

Nada más entrar en su casa, Jess vio que su madre, efectivamente, había dejado una nota sobre la mesa del recibidor.

Querida Jess:

Me marcho a buscar a la abuela, porque el trayecto es bastante largo y me gustaría estar de regreso a la hora del té. Siento lo de ayer. Es realmente injusto por mi parte pretender que te mudes a ese cuartucho, así que me he mudado yo. Todas mis cosas están ahí, en bolsas de basura. Puedes quedarte con mi dormitorio. He colocado allí todas tus cosas y puedes hacer con él lo que quieras.

Besos, mamá

Jess corrió escaleras arriba e irrumpió en lo que había sido el dormitorio de su madre; la mejor habitación del piso de arriba, con mucha diferencia. ¡Tenía dos ventanas! ¡Y un armario empotrado! ¡Incluso una pequeña chimenea que Jess ya planeaba encender con leños de verdad! Lágrimas de alegría recorrieron sus mejillas. Maldito sea el síndrome premenstrual. ¡Pero su madre era tan buena! ¡Jess la quería tanto! Tenía un increíble dormitorio palaciego, y podía hacer con él lo que quisiera. Su madre había colocado a su oso Rasputín sobre la cama, y parecía saludarla con ademán regio, por supuesto. ¡Este era el mejor domingo desde que se habían inventado los domingos!

Sonó el teléfono. ¡No! Una ráfaga de miedo le heló el corazón. Estaba convencida de que su madre se había matado en un accidente de tráfico. En ese preciso instante, cuando la quería más que todo el resto del mundo junto, le era cruelmente arrebatada. Jess se abalanzó sobre el teléfono. "¿Sí?", dijo, respirando con dificultad y preparándose para escuchar la voz glacial del oficial de policía o de la enfermera de urgencias.

"¡Hola, Jess!". Era Flora. "Todo el mundo se muere por saber qué ocurrió exactamente entre Whizzer y tú anoche".

8.
VIRGO: UNO DE TUS ZAPATOS EMPEZARÁ A HACER PEDORRETAS Y TODO EL MUNDO CREERÁ QUE ERES TÚ

Jess y Flora se encontraron en un café. Desgraciadamente, la zona de la ciudad en la que vivían carecía de clase, y el único sitio abierto los domingos pertenecía a una pequeña comunidad religiosa que vendía tentempiés elaborados por los pobres de África. "¡Qué horror!", gruñó Jess, intentando sacar los dientes de una barra de cereales hecha de corteza de árbol, grava y pegamento. "¡¿Esto es comida o material de construcción?!".

"No está tan mal. Deberíamos comer más este tipo de cosas", le aseguró Flora. "La gente que pasa hambre...".

"Sí, sí, ¡ya lo sé! ¡No me vengas otra vez con el rollo de la gente que pasa hambre! ¡Ya sufro suficiente acoso político en casa con mi madre! ¡No hay ninguna necesidad de que me sermonees solo porque sea domingo!".

"¡Sssssshhh!", susurró Flora. La señora de mediana edad que estaba detrás de la barra las miró con desaprobación a través de sus gafas de búho. Estaba limpiando unos tazones con retratos de Jesús. Se parecía un poquito a Brad Pitt con barba. "Haz el favor de no hablar tan alto. Y no digas nada irreverente", susurró Flora, "o nos echarán a la calle, y no hay ningún otro sitio abierto".

"¿Qué tal la fiesta?", preguntó Jess. "¿Cómo te fue con Mackenzie? Espero que le rompieses el corazón a cachitos y que se enterasen hasta en el Polo Norte".

"Es un tío guay", le confió Flora. "Estuvimos toda la noche juntos. Es súper ingenioso y está muy seguro de sí mismo, ¿sabes?, y me dijo que me parezco a Britney Spears, que es mentira, claro". La modestia de Flora podía ser realmente irritante. Siempre estaba diciendo que odiaba sus ojos, su nariz, su boca, su piel, su pelo..., a pesar de que cuando Dios la creó, estaba en plena forma y cocinaba a todo gas.

Ese mismo día, también creó los flamencos, los delfines, el arco iris y una compota de manzana con crema divina. Sin embargo, cuando le llegó el momento de crear a Jess, le quedaba poco gas para cocinar y tenía un ligero dolor de cabeza, y solo pudo inventarse un par de cosas más (los sapos, los mandriles y, posiblemente, el metano) antes de tener que tomarse una aspirina y echarse una siesta.

"¿Y tú, qué tal?", preguntó Flora. "¿Qué ocurrió con Whizzer? ¿Le potaste tú o te potó él?". Jess se quedó sorprendida un momento. ¡La sopa! Tenía que ser algo relacionado con el minestrone. "Dijo que le habías vomitado encima, que habías ido corriendo al cuarto de baño y que te habías marchado a casa. ¡Pobrecita! ¡Me lo podías haber dicho y te hubiese cuidado! ¿Qúe fue? ¿Comida en mal estado?".

Jess se quedó sin habla un segundo. ¡Salvada porque pensaban que había vomitado! Puede que, después de todo, nadie supiera lo de las bolsas de sopa. Jess estuvo tentada de contarle toda la historia a Flora. Habitualmente se lo contaba absolutamente todo. Pero esta vez... mejor no. Tenía la oportunidad de hacer borrón y cuenta nueva, y decidió aprovecharla. "Sí, sería algo que comí", dijo finalmente.

Deseando dejar atrás todo lo relacionado con el vómito, sacó otro tema". ¿Qué pasa con Ben? Me medio estrellé contra él justo cuando me marchaba. Y no con la clase con que lo hubiese hecho Gwyneth Paltrow, más bien como un bisonte estampándose contra la puerta de un granero. ¿Con quién se marchó? Supongo que lo acosarían todas las doncellas casaderas deseosas de algo suyo".

"No", dijo Flora, "estuvo hablando con Mackenzie y conmigo casi todo el tiempo. Están pensando montar un grupo de música y..., bueno, me han pedido que sea la cantante". Flora soltó el discurso con un ligero aire de misterio y se estremeció levemente, como lo haría una pastorcilla que hubiera pisado caca de vaca.

A Jess el corazón se le salió por la boca, dio dos vueltas alrededor del café y volvió a su cuerpo a toda velocidad por la fosa nasal derecha. Era sorprendente que nadie se hubiese dado cuenta. ¡Ben Jones le había pedido a Flora que estuviera en su grupo! Obviamente, tuvo que sonreír y hacer que estaba encantada por Flora, aunque el cielo se hubiese vuelto oscuro y el café en su taza, pis de vampiro.

"¡¿Te pidió que estuvieras en su grupo?!", le espetó Jess. "¡Es fantástico! ¡Estarás en la MTV en Navidades! Te esperaré a la salida de un concierto y gritaré débilmente para conseguir tu autógrafo mientras te diriges hacia tu limusina. Pero mis palabras se perderán en el bullicio de la muchedumbre..., y a ti te cegarán los flashes de las cámaras de los paparazzi...".

"No seas tonta", dijo Flora. "No creo que llegue a nada. De todos modos, no sé cantar ni tenemos donde ensayar. Y no creo que mis padres me vayan a dejar.

Como tuve muchas infecciones de oído de pequeña, mi madre está empeñada en que no esté en sitios con mucho ruido".

"¡Nada de eso, ya veras cómo triunfáis!". De pronto, Jess no pudo comer ni un bocado más de la barra de cereales, ni siquiera por el bien de los pobres. "¡Vais a ser un fenómeno de masas en el mundo entero! ¡En toda la galaxia! ¡La gente verá vuestros vídeos en Marte!". Jess consiguió, con un esfuerzo heroico, seguir sonriendo.

"Puedes venir a nuestros ensayos", dijo Flora, sintiéndose culpable.

"No creo que vaya", respondió Jess. No estaba dispuesta a merodear por sus ensayos, como si fuera una fan desesperada. "Voy a estar muy ocupada organizando mi nueva habitación. Voy a pintarla de morado y colocar alfombrillas de piel de leopardo por el suelo. Pensaba que el cambio de habitación iba a ser un desastre, pero al final se ha convertido en una excelente oportunidad de diseño de interiores. Y todo ello, aunque parezca raro, gracias a mi abuela".

"¡Pues mi abuela se acaba de ir de vacaciones a las Barbados!", dijo Flora. "Probablemente ahora esté haciendo esquí acuático o buceando o algo parecido".

"¿Por qué tiene que ser tu abuela tan glamourosa?", inquirió Jess con acidez. "¿No sabe que las abuelas tienen que arrastrarse hasta el bingo y quejarse de su artritis? ¡Barbados!, la verdad, ¡qué ganas de llamar la atención!”.

“Tu abuela es mucho más simpática que la mía”, dijo Flora con culpabilidad. “¡Es tan divertida! Espero que su rodilla mejore pronto. ¡Y me muero de ganas de ver tu cuarto nuevo! ¿Puedo ayudarte a pintarlo?”. Flora se estaba esforzando en ser amable. ¡Lo que faltaba! ¡Ganaría una medalla olímpica a la amabilidad! Jess no tenía margen de maniobra. Era como estar atrapada dentro de un chupa-chups y ser mordisqueada hasta la muerte por ositos de peluche rosas.

Jess se levantó, “Me voy. Tengo montones de cosas que hacer en mi cuarto”. Flora también tenía que irse. Ya había hecho los deberes, por supuesto (y posiblemente los hubiese planchado y rociado con agua de rosas). Planeaba pasar la tarde chateando con Mackenzie sobre el grupo .

De camino a casa, Jess paró en la gasolinera y se gastó el resto de la paga en un ramo de flores para su abuela. Prefería no tener una abuela que hiciese esquí acuático en las Barbados. Era *un poco demasiado.* Para la abuela de Jess, divertirse consistía en probar un nuevo sabor de pastillas para la tos. Su idea de vivir peligrosamente era cambiar la miel y el limón por la cereza.

Jess puso las flores en el cuarto de la abuela. Ya no parecía su habitación y, ahora que tenía la mejor del piso de arriba, no le importaba desprenderse de ella. Subió y pegó sus pósteres en la pared. Adoraba su nueva habitación. Hizo planes para cubrir el suelo con césped artificial y pintar el techo de azul cielo con aviones. O, a lo mejor, adornaría las paredes con terciopelo rojo y se fabricaría una cama de cuatro postes, en la que tiraría descuidadamente un antiguo chal veneciano. También pondría libros encuadernados en piel en la mesilla de noche y un búho disecado en una urna. Un poco como Fred, con su capucha puesta.

Eran las cinco de la tarde. ¿Dónde estaban mamá y la abuela? ¿Debía empezar a preocuparse? En lugar de eso, decidió prepararse un sándwich de queso. No había comido nada desde que se tomó la barra de cereales de grava y pegamento en el café cristiano. Esperaba que el catering en el cielo fuese un poco más apetitoso. Justo cuando se acababa de meter un trozo enorme de sándwich en la boca, sonó el teléfono.

"Jess, mi amor, lo siento. Estamos a mitad de camino y se ha quemado el embrague", dijo su madre. "Vamos a pasar la noche en un hostal, ¿podrás arreglártelas sola?".

"¡Claro que puedo!", dijo indignada, aun cuando la sombra del hombre lobo se hacía visible en la pared de enfrente.

"Bueno, a lo mejor te gustaría invitar a Flora o a alguien para que te haga compañía", sugirió su madre.

Era una idea excelente. Si Flora viniese, podría fisgonear su chat con Mackenzie y puede que aprendiese un par de secretos sobre Ben Jones. A lo mejor, hasta aparecía él por allí, virtualmente, claro. Su apodo en el chat era *Seisdedos.* Jess se preguntaba si realmente tendría seis dedos. ¿Vería alguna vez sus pies? Estaba segura de que serían casi divinos y que, en lugar de apestar como los de los demás chicos, olerían a perfume.

Jess llamó a Flora. "¡Adivina! Estoy *sola en casa.* ¿Quieres venir?".

"¡Claro!", contestó. "¿Quieres que intente llevar a Mackenzie y a Ben Jones?".

"¡¿En serio?!", un escalofrió recorrió la espalda de Jess. "¡Sí, claro! ¡Pero esto está hecho un asco!".

"¡Mejor!", dijo Flora. "Si es una pocilga, no hay riesgo de que montemos un desastre, ¿verdad?".

Jess colgó y miró a su alrededor con pánico. Debería estar haciendo los deberes. ¡Pero en menos de una hora Ben Jones estaría sentado en su sofá! Su culo divino dejaría una marca sagrada, y ella no permitiría que nadie se volviese a sentar allí. ¿Cómo haría para transformarse en una belleza en solo una hora? ¿Sería capaz de conseguir unas cejas que rompiesen el corazón de Ben para siempre? Tendría que intentarlo. Cogió sus pinzas y entonó débilmente una oración pidiendo un milagro. Después de todo, se había tomado una barra de cereales religiosa casi entera. Esperaba que semejante heroísmo no hubiese pasado desapercibido ahí arriba.

9.
VIRGO: ÉL TE GUIARÁ HOY HACIA AGUAS TRANQUILAS Y TE ARROJARÁ A ELLAS

¡¡Dios mío!! ¡Mackenzie y Ben Jones estaban sentados en su sofá! Eran de verdad, de carne y hueso. Mackenzie era mono, con rizos oscuros y una sonrisa peligrosa. Ben Jones era rubio, silencioso y carismático. Con un aire a Frodo Baggins, pero con un toque de sexo y violencia. Este era, sin duda, el momento más emocionante de la vida de Jess hasta la fecha.

"¿Queréis una pepsi?", preguntó.

"¿Tienes alguna otra cosa?", dijo Mackenzie. "La pepsi le hace tirarse pedos", y señaló a Ben. Este gruñó y le dio un golpe. Un comienzo de velada muy romántico.

"¿No tienes cerveza o algo parecido, Jess?", preguntó Flora, que parecía molesta ante la falta de clase de su amiga.

"No, lo siento. Mi madre no bebe y nunca tenemos vino o cerveza en casa, salvo que tengamos visitas a las que queramos impresionar", confesó Jess. "No hemos tenido vodka desde la última visita del Papa". Se hizo un silencio. Los chicos pusieron los ojos en blanco. Ben agitó sus pies y se los miró. Iba a ser un desastre.

"Mis padres tienen una bodega", dijo Flora.

"¡Guau! ¡Genial! ¡Es lo más! ¡Vamos para allá!", dijo Mackenzie.

"¡No podemos!", advirtió Flora. "Están en casa". Los chicos parecieron decepcionados.

"Aquí no tenemos ni las lujosas lámparas ni el champán que hay en casa de Flora", señaló Jess. "Pero todo eso está pasado de moda. Lo que se lleva hoy en día es tomar pan sin mantequilla y agua del grifo. Al estilo budista". Ben la miró confundido; Mackenzie, aburrido. Este miró a Ben. ¡Oh, Dios! Había sido un error hablar de budismo. Los chicos probablemente pensaban que se trataba de un juego de mesa.

"¿Te acuerdas de las últimas Navidades?", dijo Mackenzie. "¿Cuando fuimos a casa de Carter y arrasamos el bar de su padre? ¡Se cogió una! ¡Lo flipas! ¡Potó hasta reventar tipo bazuca sideral!".

Jess suspiró. Los chicos tenían un lenguaje propio. Estaban hablando de una borrachera, pero sonaría igual si hubiese sido de deportes, de pornografía, o incluso, de la guerra. La tarde empezaba a ser decepcionante en cuanto a la conversación. Ben era, aparentemente, incapaz de hilvanar dos frases seguidas, y Mackenzie hablaba húngaro.

Jess comenzó a reescribir el diálogo en su cabeza, a lo Jane Austen.

"*Buenas tardes, señorita Jordan, señorita Barclay*", *dijo Sir Benjamin Jones, al tiempo que hacía una distinguida reverencia.* "*¿Vamos a poder disfrutar del placer de su compañía en el baile de Netherbourne el mes que viene?*".

"Así que, ¿qué tienes para beber, Jess? Aparte de pepsi", preguntó Flora, irritando algo a Jess.

"Creo que debe haber batido de chocolate", dijo Jess, secretamente consciente de que probablemente estaba caducado.

"¡Sí! ¡Genial! ¡Batido! ¡Me hace!", gritó Mackenzie. "¡Dame de ese batido que me lo chuto directamente en vena!".

Jess no pudo evitar reparar en que no había dicho *por favor.* "¿Tú qué quieres, Ben?", preguntó. Intentó que su voz sonase suave y sensual, pero, desgraciadamente, se le escapó un escupitajo que aterrizó sobre la camisa de Ben. Él se sobresaltó. ¡Ya no tenía nada que hacer! Pretendía seducirlo y, en lugar de eso, le había escupido.

"Ehhh, no quiero nada, estoy bien, gracias", dijo Ben Jones. No se quitó el escupitajo, pero Jess sabía que él sabía que estaba ahí. Se podía ver todavía. Afortunadamente, Flora y Mackenzie tenían los ojos clavados el uno en el otro y no se habían dado cuenta.

"Yo también quiero batido Jess, por favor", dijo Flora. "¡Me encanta el chocolate!". Se pasó la lengua por los labios y suspiró. Ambos chicos la miraron boquiabiertos, deseando transformarse en huevos de Pascua en ese momento.

Jess fue hasta la cocina. El batido había caducado el día anterior. Lo olfateó. No parecía que estuviese malo. Aunque olía ligeramente a ajo porque había estado en la nevera junto a un bote sin tapar del aliño para ensaladas de su madre. Por ahora, todo iba perfectamente: podía ofrecerles un batido de chocolate al ajo que empezaba a agriarse. Pero solo había suficiente para llenar un vaso.

Espera, si utilizase vasos más pequeños, a lo mejor podía llenar dos. Encontró un par de vasos de vino, los llenó de batido y cogió una pepsi para ella. Se comió una galleta para no tener tanta saliva en la boca y evitar duchar de nuevo a Ben Jones. Se atragantó con una miga y tuvo un ataque de tos. Le lloraron los ojos y se le corrió el rímel. Se lo volvió a poner en el cuarto de baño del piso de abajo, con tanta prisa, que se le corrió de nuevo. ¿Conseguiría volver al salón antes de que sus invitados se murieran de viejos?

Jess reapareció en el salón con la cara roja de la tos y con el ojo izquierdo tan emborronado que parecía un pirata. Cuando entró, se dio cuenta de que no hubiese importado si estando en la cocina le hubiera crecido un tercer ojo y se lo hubiese perfilado con rímel rojo: nadie se habría dado cuenta.

Flora ahora estaba tirada en la alfombra, a los pies de los chicos. A cualquiera que estuviese sentado en el sofá le resultaría imposible no mirar del canalillo para abajo o de las rodillas para arriba. Jess miró de reojo a Ben Jones para saber si estaba mirando el canalillo de Flora. Estaba en ello, sin duda. Bueno, tendría que haber mirado al techo para eludirlo.

"¡Salud!", dijo Mackenzie, levantando el vaso de batido. Se lo bebió de un trago.

"¡Por amor de Dios, Jess!, ¿no tienes vasos más grandes?", preguntó Flora, con cierto aire de superioridad. "Estos son vasos de vino".

"¡Por Dios! ¡Sé que son vasos de vino!", le espetó Jess. "Los de agua están sucios. Y además, ¿a quién demonios le importa?".

"No tienes por qué cabrearte conmigo", dijo Flora con una mirada hostil y extraña. Se volvió hacia los chicos, y Jess vio que su cara pasaba de la irritación a la seducción. Mackenzie y Ben contemplaban el escote de Flora con una mirada tan anhelante y obsesiva que parecía que se estuviera jugando un partido de fútbol crucial sobre su pecho.

"Habladme de vuestro grupo", dijo Jess.

"¡Sí, es fantástico! ¡Es lo más!", dijo Mackenzie. "Vamos a empezar los ensayos tan pronto como encontremos un sitio... ¡Eh! ¿Qué tal aquí?".

"No puede ser", dijo Jess rápidamente. "Mi abuela se viene a vivir con nosotras".

"¡Una abuela!", dijo Mackenzie. "¡Guay! ¡Qué sexy! ¿No será una máquina del amor? ¡Podría ser nuestra telonera!". Todo el mundo se rio, pero Jess se sintió bastante mal y un poco culpable, y deseó que su abuela viviera en Alaska y nunca hubiese salido en la conversación.

"No podemos ensayar en mi casa", dijo Flora, "por mi padre. Ni siquiera voy a poder contarles a mis padres que voy a cantar en el grupo. Jess, cuando vaya a los ensayos, ¿podré decir que vengo a verte?".

"Sí, claro, sin problema", contestó Jess. Sintió un dolor agudo en las entrañas. Sentía pánico ante la perspectiva de una conversación con el horripilante padre de Flora. "¿Jess, por favor, dime dónde está Flora exactamente?", diría con su gruñido de empresario de éxito. Jess casi se desmaya ante la idea. La velada iba de mal en peor. Se estaba convirtiendo en una absoluta pesadilla. Ben Jones prácticamente no había abierto la boca. Solo había una solución, buscar refugio en la fantasía.

"Necesito tomar el aire", dijo Sir Benjamin. "¿Le gustaría dar una vuelta por los jardines, Miss Jordan?".

"Me encantaría, Sir Benjamin", dijo Jess, dejando su pepsi (no, no, su taza de té) sobre la mesa con la mano temblorosa.

"Las azaleas están en flor. Están preciosas. Miss Flora, ¿sería tan amable de recoger el servicio del té y de atender el fuego?".

Miss Flora asintió con modestia y obedientemente. Una joven muy dulce. Una lástima que tuviera esa enorme nariz roja y los dientes verdes e irregulares.

"Bueno, ¿cómo nos vamos a llamar?", preguntó Mackenzie. "¿Qué os parece *Lo más*? Sería lo más, ¡ja, ja!".

Jess supuso que era esto a lo que Flora se refería cuando hablaba de la inteligencia de Mackenzie. "¿Todavía no tenéis un nombre?", preguntó. "Yo hubiese pensado en el nombre primero. Creo que es la mejor parte, elegir el nombre. Después, todo viene rodado".

"Todavía lo estamos discutiendo entre nosotros", dijo Flora. Había algo irritante en ese *nosotros*. Así que eran un *nosotros*. Los tres. Divirtiéndose mientras discutían el nombre.

"¿Qué nombres se os han ocurrido?", quiso saber Jess.

"Bueno, Mackenzie ha propuesto *Zanahoria Demente*", comenzó Flora, "a B.J. le gusta *Sapos Asesinos* y yo voto por *Arqueología*".

Jess intentó mostrarse interesada. Pero en realidad estaba hipnotizada por la naturalidad con la que Flora había llamado a Ben *B.J.* Nunca había oído que nadie lo llamase así. Tenía que ser un apodo inventado especialmente por Flora para él. "¿Y qué tal *Detritus Venenoso*? Sugirió Jess apretando los dientes.

Sonó el teléfono. Jess se sintió culpable. De acuerdo, su madre le había dado permiso para que Flora estuviera allí, pero ¿y los chicos? "¡Callaos!", susurró, y descolgó el teléfono.

"¿Jess?".

"¡Papá!".

"¿Cómo estás, mi amor? ¿Qué haces? Siento no haberte llamado en las dos últimas semanas; he tenido una gripe muy fuerte".

"¡Es mi padre!", dijo gesticulando, pero sin emitir ningún sonido. "Perdona, papá, voy a coger el teléfono de arriba, que estoy con unos amigos". Colgó el auricular e hizo una mueca. "Volveré enseguida", prometió. ¿De entre todas las noches, por qué tenía su padre que llamar precisamente esa? Había elegido un momento de lo más inoportuno.

Cogió el teléfono en el estudio de su madre. "Sí, papá, siento lo de tu gripe, ¿te encuentras mejor ya?".

"Todavía tengo un poco de tos. Espera un momento, ahora mismo me viene un ataque. Suena como si un gallinero estuviera siendo demolido, ¡escucha!". Tosió con fuerza para demostrarlo. ¡Menudo hipocondríaco! Jess quería a su padre, pero con los años sabía mucho más de lo que querría de sus pulmones y de su intestino grueso. Jess le preguntó cómo le iba la vida en Saint Ives, y le hizo prometer que la dejaría ir a visitarle y quedarse con él unos días.

"Bueno, supongo que podríamos organizar algo". Dudó, como si tener a tu hija en casa supusiese edificar un ala este completa y contratar una caravana de trescientos camellos para acompañarla en el viaje.

"Aunque no estoy seguro de dónde podrías dormir. A lo mejor podría conseguir una caseta para perros...".

"Puedo dormir en cualquier parte, papá", le aseguró Jess. "En el sofá, en el suelo. No me importa. Ni siquiera he visto tu casa nueva y llevas siglos viviendo allí. Y está junto al mar. ¡Qué desperdicio!".

"Lo hablaré con mamá", dijo su padre. "No estoy seguro de que te vaya a dejar. Ella cree que vivo sin disciplina. Tendrás que prometer leer la Biblia todo el tiempo e irte a la cama a las siete y media".

"¡Siete y media!", dijo Jess, haciéndose la enfadada. "¡Estaré en la cama *mucho* antes".

"Y tendrías que pasar el aspirador antes de un desayuno liviano con pescado enlatado y pastillas de vitaminas", aseguró su padre.

"Bueno, obviamente", replicó Jess, "¡Y daría paseos de quince kilómetros con los zapatos apropiados!".

"Entonces, arreglado", dijo su padre. Pero Jess no lo tenía nada claro. No confiaba en que su padre no se echase atrás. Podía pasarse siglos haciéndole bromas y, de pronto, transformarse, como si hubiera cambiado de marcha, y volverse serio, aburrido y adulto. Y eso fue justamente lo que ocurrió.

"¿Podrías ponerme con mamá, cariño? Me mandó un correo diciéndome que tenía problemas con la abuela".

Jess vaciló. "Mamá no está", admitió. "Se ha ido a buscar a la abuela para traérsela a vivir con nosotras. Pero el coche se estropeó por el camino y tienen que pasar la noche fuera".

"¿Y quién te está cuidando?".

"No necesito que me cuide nadie, papá, ¡soy perfectamente capaz de cuidar de mí misma!". Se produjo un silencio algo tenso. Sabía que su padre ya estaría toqueteándose los dedos nerviosamente y con una indigestión.

"¿Pero no dijiste que estabas con unos amigos?", preguntó su padre.

"Sí, con Flora y con otros dos".

"¿Son chicas o son esos horribles seres que parecen chicos?".

"Mackenzie y Ben Jones, del colegio. Pero, papá, deja de preocuparte. Por amor de Dios, no estamos montando una orgía. Quiero decir, tú fuiste un chico también, y no creo que estuvieses todo el tiempo en orgías, tomando drogas o algo parecido, ¿no?".

"Yo era un chico de lo más aburrido", dijo su padre con cierta tristeza. "Lo más cerca que estuve de una fiesta salvaje fue cuando organicé una para mis hámsteres. ¿Y qué estáis haciendo? Supongo que estaréis viendo un vídeo, ¿no?".

"No, papá, la tele ni siquiera está encendida. Simplemente estamos decidiendo el nombre de nuestro grupo".

"¿Estás en un grupo? Maldita sea, estoy fuera de onda".

"Bueno, no estoy realmente en él. Flora es la cantante, y yo la mánager". Le gustaba la idea de ser mánager. A lo mejor, hasta les ofrecía sus servicios. *Soy la mánager de Detritus Venenoso.* Tenía un punto.

"Y esos chicos, ¿se van a quedar a pasar la noche? Son las diez y media".

"¡Papá! ¡Te puedes relajar! No, claro que no se quedan. ¡El padre de Mackenzie viene a por ellos dentro de cinco minutos!". De repente, no le pareció tan malo que su padre viviera a trescientos veinte kilómetros. Era más fácil colarle una mentira. Más tranquilo, al saber que en poco tiempo un adulto iba a poner fin a la frenética orgía juvenil, el padre de Jess finalmente colgó, no sin antes preguntarle si había hecho los deberes. Jess le aseguró que los había terminado. Bueno, los podría hacer mañana, durante el desayuno. Corrió escaleras abajo.

Mackenzie estaba ahora con Flora sobre la alfombra, pero sin ninguna intención extraña. No se estaban dando el lote ni nada. Pero así daba a entender que, de algún modo, *estaba saliendo con Flora* más que Ben Jones. A Jess esto le infundió confianza. Aún así, no se atrevió a sentarse al lado de Ben en el sofá. Sería demasiado evidente que le gustaba. Así que se sentó en una banqueta al lado de la televisión, aunque en el mismo momento en que lo hizo pensó que no iba a estar muy favorecida. No se puede reposar lánguidamente sobre una banqueta. Solo puedes encogerte al estilo neandertal, con las rodillas a la altura de las orejas.

"Lo siento", dijo, "era mi padre. Vive en Saint Ives".

"¿Saint Ives?", Ben Jones había hablado por fin, y parecía realmente impresionado. "¡Qué guay! Eso está... junto al mar, ¿verdad?".

"Sí, es una pasada. Voy a ir quedarme con él durante las vacaciones", dijo Jess. "Puedes venir si quieres. Podéis venir todos".

"¡Ay! ¡Me gusta tanto el mar!", chilló Flora. "De hecho, mi abuela está en este momento haciendo esquí acuático en las Barbados. ¡Tiene una suerte! ¡Me da una envidia!".

"¡¿Las Barbados?!", exclamó Ben Jones, con los ojos muy abiertos. Saint Ives había pasado a un segundo plano.

"¡Las Barbados!", profirió Mackenzie. "¡Guau! ¡Qué pasada! ¡Eso sí que mola! ¿Y podemos irnos todos con ella?".

En comparación con las Barbados, Saint Ives era de lo más aburrido.

Jess estuvo tentada de coger el objeto pesado más cercano y atizar a Flora con saña, pero consiguió controlarse. *Supéralo, supéralo*, pensó con urgencia. *Flora quiere ser el centro de atención. Deja que lo sea. Déjala brillar. Es un signo de inmadurez.* Daba igual, Jess no se sentía demasiado madura agachada en la oscuridad sobre la banqueta.

De pronto, el móvil de Mackenzie empezó a sonar. Lo cogió, se puso de pie y fue hasta la ventana. "¡Qué!", gritó. Todo el mundo se calló. De repente, Jess se dio cuenta de que Ben Jones la estaba mirando. Sus ojos se encontraron, como había predicho Flora. No en una sala llena de gente, más bien en una semivacía. Le dedicó una de sus medias sonrisas, solo para ella.

Una sensación muy agradable le recorrió el cuerpo, aunque Jess no sabía muy bien lo que era. La había sonreído justo cuando podía haber estado mirando el escote de Flora e imaginándose tomando el sol con ella en Barbados. Puede que le gustase Jess un poquito, después de todo.

"¿Por qué?", gruñó Mackenzie. "¡No es justo!... De acuerdo, de acuerdo, veinte minutos".

Colgó y les dedicó una mirada trágica. "Tengo que irme", suspiró. "Mi madre está tan por los suelos que se come la alfombra".

Pero primero tenía que ir al cuarto de baño. "Yo te enseño dónde está", dijo Flora, tomando la iniciativa y dirigiendo a Jess una mirada llena de significado. Flora y Mackenzie salieron de la habitación y subieron al piso de arriba. Durante un rato, se oyó el rumor de sus voces, pero, después, se hizo un silencio repentino.

Ben Jones sorbió por la nariz, deliciosamente, por supuesto. El silencio se hizo más denso. Jess empezó a sentir pánico. Era su responsabilidad pensar en algo que decir, en parte porque era la anfitriona y en parte porque era sabido por todos que los chicos eran incapaces de decir dos frases seguidas o, incluso, de tener una idea. Excepto Fred, claro.

"¿Cuál es tu asignatura favorita?", se descolgó Jess, torpemente.

Ben Jones pareció sorprendido. "Hum, Física, supongo", contestó.

El corazón de Jess dio un vuelco. Odiaba la Física. El laboratorio apestaba a goma y a gas. Le recordaba a los hospitales y a los horribles experimentos en los que se necesitaban máscaras de hierro y tenazas al rojo vivo.

"¡Sí! ¡La Física es guay!", mintió. Había leído en una revista que tenías que compartir las aficiones con tu novio. "¿Qué quieres hacer cuando acabes el colegio?", preguntó extrañamente. ¿Qué le estaba pasando? ¡Sonaba como una consejera laboral!

"Eeeh, bueno, pensaba que, a lo mejor, podría ser inversor bursátil", dijo Ben.

Jess se quedó alucinada. "¿Y eso qué es?", preguntó torpemente.

Ben Jones se rio, pero no era una risa burlona o desdeñosa, sino amistosa y respetuosa. "Tiene que ver con, hum, las finanzas", le dijo. "Con el dinero, sí. ¿Y tú?".

A Jess le entró pánico. ¡No se lo podía contar, era demasiado absurdo! Bueno, daba un poco igual.

"Quiero ser humorista", confesó.

Los ojos de Ben Jones se abrieron llenos de asombro, y emitió un extraño y pequeño silbido. "¡Qué guay!", comentó finalmente. Después, se puso de pie y cogió su chaqueta. Se volvieron a quedar en silencio. Jess se levantó con dificultad de la banqueta, que era muy baja. Seguro que Flora lo hubiese hecho grácilmente, como una gacela a la que interrumpen mientras pasta. Jess parecía un hipopótamo luchando por salir de un pantano.

"Hummm, Oye..., ¿Te gustaría que..., eh..., tomásemos algo mañana después del colegio?", dijo Ben Jones de repente.

Jess parpadeó. ¿Qué? ¿Qué estaba pasando? ¿La había invitado a salir o se lo estaba imaginando?

"Perdona", tartamudeó, "¿qué has dicho?".

Ben Jones se sonrojó. ¡Se *sonrojó*! ¡Guau! Este era el mejor instante en la vida de Jess.

"Que si, bueno, hum, te gustaría tomar algo mañana después del colegio", repitió.

Jess se encogió de hombros y trató de aparentar que no podía decidirse, ya que había muchas otras cosas que preferiría hacer, como, por ejemplo, ir a clase de recuperación de Física y estar rodeada de maravillosos tubos de goma y fascinantes trozos de metal. "Claro", dijo con una sonrisa tímida. "¿Por qué no?".

Mackenzie y Flora bajaron las escaleras, y los chicos se marcharon. Ben Jones no mencionó su cita con Jess delante de los otros. Se limitó a hacerle una leve inclinación de cabeza. Por un momento compartieron un secreto. Estaba casi a la altura del drama costumbrista de Sir Benjamín que Jess se había inventado. Aunque Ben no condujese un carruaje tirado por cuatro corceles blancos y su único medio de transporte fuesen sus deportivas, muy chulas, eso sí.

"¡Adivina!", susurró Jess emocionada tan pronto como se marcharon los chicos. "¡Ben Jones me ha invitado a salir mañana! ¡Tengo una cita! ¡Me ha pedido una cita!".

"¡Qué bien!" gritó Flora, abrazándola y saltando de alegría. "¡Y adivina! ¡Mackenzie me ha metido mano en tu cuarto de baño! ¡Me ha metido mano y me ha dicho que soy maravillosa! ¡Va a ser una pasada si tú sales con B.J. y yo con Mackenzie! Ah, otra cosa. Adivina lo que me contó Mackenzie mientras estábamos arriba".

"¿Qué?", preguntó impaciente. No quería pensar en otra cosa. Solo quería pensar en su cita con Ben Jones. Quería pensar en ello toda la noche.

“¿Conoces a Jack, el hermano de Tiffany?”.

“Sí, ¿qué pasa con él?”.

“Bueno, ¿te acuerdas de todas esas flores y hojas que había en el baño de las chicas en la fiesta de Tiffany?”.

“Sí, ¿y qué?”.

“Bueno, parece ser que Jack colocó una cámara de vídeo allí, escondida entre las hojas, y ha grabado a todas las chicas que entraron en el baño. ¡Como una cámara de vigilancia o algo así! Y todo el mundo va a ir a casa de Tiffany pasado mañana a ver el vídeo. ¡Gracias a Dios que no fui al baño en toda la noche!”.

Flora suspiró con alivio, la muy cerda egoísta. Jess se quedó sin habla. Estaba absolutamente paralizada por el terror. Flora, al final, se dio cuenta. No era del todo un monstruo. “¡Oh, no, Jess! ¡Estuviste vomitando allí! ¡Pobrecita mía!”.

“No es eso lo que me preocupa”, dijo Jess. Un terror que la paralizaba invadió todo su cuerpo, tornando cada músculo en una piedra. No tendría que preocuparse si saliera vomitando en el vídeo. Lo que había hecho era mucho, muchísimo peor. Se había desnudado hasta la cintura. Había tirado sus implantes de mama caseros por el inodoro. ¡Y se había quitado el minestrone de las tetas mientras hablaba con ellas y las llamaba Bonnie y Clyde! Jess se preguntó dónde estaría el convento de monjas más cercano, porque su vida, definitivamente, estaba acabada.

10.
VIRGO: DESARROLLARÁS COMPASIÓN POR LOS TOMATES Y NUNCA MÁS TE GUSTARÁ LA COMIDA ITALIANA

"Bueno..., Jack dice que tú eres, huumm, la estrella del vídeo". Ben Jones sonrió, y Jess se sintió morir. Aquí estaba, sentada en el Dolphin Café frente a Ben. Lo había adorado durante meses. Había perdido la cuenta de la cantidad de veces que se había escrito su nombre en la mano, en los libros... De acuerdo, incluso en las paredes de algunos cuartos de baño públicos. Verle era más que suficiente como para que su estómago hiciera acrobacias. Incluso una vez se sentó en un banco donde él había estado y sintió como el calor que había dejado su culo acariciaba suavemente sus nalgas. No es lo que habitualmente se conoce como sexo desenfrenado, pero era un comienzo.

¡Y ahora la había invitado a salir! Aquí estaban, en una cita, y en lugar de estar entusiasmada hasta los tuétanos, se sentía a morir.

"A lo mejor podíamos tomar una hamburguesa mañana, ¿te parece?", musitó. "¿Antes de...?".

"¿Antes de qué?", tartamudeó Jess.

"Antes de la fiesta en casa de Tiffany".

El estómago de Jess descendió en picado hasta el núcleo incandescente de la Tierra, a través de las elegantes losetas italianas del Dolphin Café, para aparecer en alguna parte del interior de Australia, donde los hombres llevan sombreros con corchos colgando. Su estómago, al parecer, había emigrado a ese país, y después de la vergüenza y la humillación del vídeo de mañana, Jess tendría que perseguirlo.

"¡Yo no voy a ir!", dijo bruscamente Jess. "Y por favor, por favor, prométeme que tú tampoco irás".

Ben levantó las cejas. "¡Eh, tranquila! Es solo, como, un poco de, ya sabes, diversión".

"¡¿Diversión?!", se indignó Jess. "¿Qué opinarías si las chicas colocasen una cámara en el cuarto de baño de los chicos y tú hubieses estado allí haciendo algo privado?" Ben estuvo callado un momento, pensando. Jess intentó morderse las uñas, pero realmente no quedaba nada que morder. Luchó contra la irrefrenable tentación de quitarse los zapatos y morderse las uñas de los pies.

"No creas que me importaría salir en un vídeo como ese", opinó Ben. " Es solo, como, para echarnos unas risas, ¿no te parece? Hicieras lo que hicieras, no puede ser malo. Deberías... venir y echarte unas risas. Eso sería guay. Si no apareces, la gente podría pensar que tú, ya sabes, te has rajado". Jess sabía que reírse de uno mismo era un signo de madurez. Pero no estaba muy segura de que incluso alguien de treinta años pudiese superar un asunto como ese sin chillar ni desear volverse invisible. "Todas las otras chicas van", dijo Ben. "Flora va a ir".

"Es fácil para ella", comentó Jess. "Ni siquiera fue al maldito cuarto de baño. Su vejiga debe ser tan grande como un jodido autobús".

"Siempre parece tener, ya sabes, buena suerte", ponderó Ben.

"¡Completamente cierto!", coincidió Jess. "Tiene mucha suerte en la vida. Tendrías que ver su casa. Su padre es como una superestrella del negocio de los cuartos de baño y su madre se parece a Meryl Streep. Su casa es alucinante. Tienes que quitarte los zapatos cuando entras porque todas las alfombras son de color crema. Y si la porcelana se descascarilla, la madre de Flora la tira. En mi casa, no hay una sola pieza de porcelana que no esté descascarillada".

Ben miró pensativamente a su alrededor. Jess comprendió que hablar de porcelana descascarillada tal vez no era el mejor camino para llegar al corazón de un chico. Pero ¿de qué podía hablar? ¿De películas? ¿De coches? ¿De deportes? ¿De música? No podía pensar en otra cosa durante más de unos segundos, porque su mente volvía como un relámpago al atroz tema del vídeo.

"¿Crees que a ella, bueno, realmente le gusta Mackenzie?", inquirió Ben de repente.

Jess olvidó el vídeo por un momento. "¡Sí, claro!", le aseguró. "Creo que a Flora siempre le ha hecho tilín. Además, estamos estudiando a Carlos I de Inglaterra en Historia, y está absoluta y completamente loca por él. Y creo que Mackenzie le recuerda a él".

"¿Qué? ¿Le recuerda a un *rey*?", dijo Ben totalmente desconcertado. "Eso es muy raro".

"Oh, no, quiero decir, no es por eso por lo que le gusta. Es solo una idea mía. Porque Mackenzie es pequeño y moreno como Carlos I de Inglaterra. Pero el parecido termina ahí. Mackenzie, después de todo, tiene cabeza".

"¿Cabeza?", Ben parecía todavía más desconcertado.

"Es que", explicó Jess, "Carlos I fue decapitado en la guerra civil. Cuando se enfrentaron los partidarios del Rey y los parlamentarios ¿Te acuerdas".

Ben asintió. "Sí", dijo. "Me acuerdo. La Historia me aburre, así que no suelo escuchar. Pero... ¿entonces consideras que Flora siente..., hum..., algo por Mackenzie? No crees que ella, eh..., vaya a dejarle, ¿verdad? Eso lo destrozaría".

"¡No!", afirmó Jess. "Definitivamente no. Está loca por él".

Ben Jones la miró con detenimiento y asintió lentamente. "Humm. Bien".

Una desagradable inquietud se apoderó de la cabeza de Jess. En realidad, Ben Jones no había querido tomarse algo con ella; no era por ella. ¡Mackenzie le había pedido que averiguase si Flora iba en serio con él! Esto no era una cita. No la estaba intentando conquistar; estaba siendo sometida a *un tercer grado*.

Hacía diez minutos, Jess estaba agonizando a causa del vídeo. Pero se reconfortaba con la idea de que por lo menos estaba teniendo una cita con Ben Jones. Era un consuelo bastante débil y remoto, pero existía. Ahora, la idea se había disipado como el humo.

"Lo siento", dijo. "Tengo que marcharme. Tengo cosas urgentes que hacer en casa". Se levantó deprisa.

Ben pareció sorprenderse y se puso de pie. "¡Espera!", dijo. "¿Qué pasa con mañana? ¿Nos encontramos en el burger hacia las siete y media?".

Jess dudó. "No estoy segura, tengo que pensármelo. Te mandaré un SMS, ¿de acuerdo?".

Ben asintió y le dedicó su media sonrisa. Su estómago (que parecía haber regresado de Australia) dio una vuelta de campana. "A por ellos", dijo él en voz baja, "¡eres una estrella!".

Jess agitó su cabeza de un modo que esperó fuera misterioso y elegante, y se marchó. Caminó calle abajo temblando de emoción. ¡Le había dicho que era una estrella! ¡A lo mejor sí quería salir con ella, después de todo! Si fuera a la fiesta y diera la cara, podría convertirse en *la estrella de Ben.* No exactamente en su novia, claro, pero era un comienzo. Sin embargo, Jess dudaba de que el vídeo la mostrase en un papel estelar. Más bien había actuado como una idiota de la peor especie, una idiota en topless. Mañana por la noche, Ben Jones sabría que hablaba con sus tetas y que les había puesto nombres. Sabría lo de la sopa. Él y todos los demás la habrían visto semidesnuda. ¿A quién se lo podía contar? A nadie, ni siquiera a Flora. Y, desde luego, no a su madre.

Comenzó a llover. A Jess no le importó. Siguió caminando cada vez más rápido. La lluvia le caía por la cara. Le resultaba relajante: podías llorar mientras llovía sin que nadie se diese cuenta. Jess estaba profundamente tentada a hacerlo. Cuando llegó a casa, estaba completamente empapada. Su casa nunca había olido tanto a hogar. Nunca más saldría de ella. Su madre había vuelto con la abuela mientras ella estaba en el colegio, y la abuela tenía puestas las noticias. Cuando Jess entró, la abuela levantó la vista y le dedicó una sonrisa brillante. Quitó el volumen de la televisión y extendió los brazos.

"¡Jess, tesoro! ¡Cómo has crecido! ¡Dios mío, estás empapada! Date un baño, cielo, o te cogerás un resfriado. Han encontrado una cabeza humana en Grimsby". Su abuela era dulce y afectuosa, un poco al estilo de las abuelas de toda la vida, pero tenía una extraña pasión por lo truculento. Inspeccionaba los periódicos en busca de detalles sangrientos de crímenes misteriosos. Si veía a un hombre cavando en su jardín, inmediatamente sospechaba que estaba enterrando a su mujer. Había visto siete veces el vídeo de *Pulp Fiction,* mientras tejía patuquitos rosas para una organización benéfica. A su adorable manera, era un poquito rara.

La madre de Jess apareció cargada con un montón de cosas de la abuela. Parecía cansada. Dedicó a Jess una mirada curiosa y expectante. "Hola, mamá", dijo Jess. Su madre parecía estar muy lejos. Jess sintió que su agonía por el vídeo la había encarcelado en una especie de caja de cristal. Podía observar la vida cotidiana que transcurría fuera de allí, pero no participar en ella.

"¿Y bien?", dijo su madre.

"¿Y bien, qué?", contestó Jess de malas maneras.

"¿Qué piensas de tu habitación?".

"¡Mamá, es divina! ¡Lo siento! ¡Lo había olvidado!". Jess se lanzó encima de su madre y le dio un abrazo inmenso. "¡Es lo mejor que me ha ocurrido nunca! ¡Muchísimas gracias! ¡Eres fantástica! Voy a ordenarla ahora mismo, pero primero me voy a dar un baño".

Jess corrió escaleras arriba. Se encerró en el cuarto de baño, llenó la bañera, se metió en ella e intentó relajarse. Pero su mente estaba girando a mil revoluciones por minuto. ¿Cómo podría hacerse con ese vídeo y destruirlo para siempre? A lo mejor podía llamar a Tiffany e intentar sobornarla. Pero Jess no tenía dinero y, además, sospechaba que no le caía especialmente bien a Tiffany. Suspiró. A lo mejor podía fingir una enfermedad y no ir al colegio durante varios días, hasta que las aguas se hubiesen calmado. Lo que necesitaba era que pasara algo muy gordo que hiciera que todos se olvidaran del famoso vídeo. A lo mejor debía salir a escondidas, esa noche, e incendiar el colegio. No, mejor prender fuego a la casa de Tiffany. Entonces también se destruiría el vídeo.

Vertió el aceite de baño de su madre en el agua. Era de lavanda; se suponía que era relajante. Jess intentó con todas sus fuerzas relajarse. Prender fuego a los edificios solo era una fantasía. Jess ni siquiera era capaz de encender una vela de aromaterapia sin chamuscarse los dedos. Recuperó la idea de fingir una enfermedad. A lo mejor había alguna que durase un año entero. Seguramente en ese tiempo todo el mundo se habría olvidado del vídeo. Tendría que llamar a su padre. Él sabría de alguna enfermedad así. Se estaba leyendo la enciclopedia médica. Había llegado hasta la C: caspa.

"¡Jess!". Su madre llamó a la puerta del cuarto de baño. "¡Fred al teléfono!".

"¡Dile que ahora le llamo!". De todos modos, ya era hora de salir del baño. Su piel se estaba arrugando como la de su abuela. Jess salió y se secó. Pero no les dirigió la palabra a Bonnie y Clyde. Ese tipo de locuras te puede traer problemas serios. Esperaba que Bonnie y Clyde lo comprendiesen, pero, desgraciadamente, no podría hablar con ellas durante un tiempo.

Jess llamó a Fred desde el estudio. Su madre estaba cocinando y escuchando la radio, y la abuela estaba en el salón con la televisión a todo volumen. Fred contestó el teléfono.

"Hola, mi madre dice que me has llamado", dijo Jess.

"Sí, me he dejado mi ejemplar de *Noche de reyes* en el colegio, y tengo que terminar la redacción o el señor Fothergill me sacará los intestinos y los transformará en un paté bastante chic. ¿Puedes prestarme el tuyo?".

"Claro", dijo Jess. Se dio cuenta, con tremendo malestar, de que ella tampoco había hecho su redacción, pero su madre, como buena bibliotecaria, tenía miles de ejemplares de las obras de teatro de Shakespeare, así que podía perfectamente prestarle el suyo a Fred. Lo malo es que había escrito el nombre de Ben Jones por todas partes. Tendría que borrarlo. No quería que Fred se diera cuenta de lo colada que estaba por Ben.

"¿Qué te pasa?", preguntó Fred. "Estás bastante monosilábica esta tarde. Diría que casi arisca. ¿No estarás teniendo un momento *film noir*?". Fred acababa de descubrir el *film noir* —esas películas deprimentes en blanco y negro de los años cuarenta— y estaba trabajando sobre la idea de volver a rodar *El planeta de los simios* en el París de la posguerra.

"¡Fred, es un desastre!", explotó Jess. "¡El vídeo de Jack! ¡Esa fiesta de mañana por la noche!".

"Sí, una broma de mal gusto, desde luego, pero supongo que tendré que arrastrarme hasta allí. Aunque solo voy a ver el vídeo como cinéfilo, ¿entiendes?, no como un pervertido".

"El caso es", dijo Jess, "que tuve que hacer cosas realmente íntimas en ese cuarto de baño. Como desnudarme y lavarme, porque me, me tiré comida encima. Y todo el mundo va a verme desnuda. ¡Es demasiado! ¡No puedo soportarlo, Fred! ¡Me moriré de vergüenza! ¿Qué demonios puedo hacer?".

Fred estuvo callado un momento. "Ahora me parece que mi agobio por no haber hecho la redacción es bastante ridículo", musitó. "Mi consejo es: cuando veas el vídeo, adopta un aire de superioridad, como si contigo no fuera la cosa, y sonríe de manera burlona. ¿Podrás hacerlo?".

"Puedo intentarlo", suspiró Jess, " aunque para ser sincera, me sentiría más a gusto imitando a un chimpancé".

"Bueno, pues entonces imagina que eres un chimpancé", sugirió Fred. "A los grandes monos no les importaría, ¿no crees? Practica el método Stanislavski como nos enseñaron en clase de teatro. Pásate toda la tarde metida en el papel".

"Bueno, muchas gracias por el consejo", dijo Jess, con cierto tono de burla. "Aunque yo que tú no haría la carrera de psicología. No creo que tuvieras éxito".

"Sé que el asesoramiento psicológico no es mi fuerte", dijo Fred, "porque básicamente estoy absorto en mí mismo y me aburre cualquier conversación sobre problemas ajenos. Estaré allí en cinco minutos a recoger el ejemplar de Shakespeare".

Habitualmente, Jess hubiese disfrutado de media hora de bromas y de desacreditamiento mutuo con Fred, pero esa noche no tenía humor para ello. Colgó y buscó su ejemplar de *Noche de reyes*, después garabateó encima de todas las referencias a Ben Jones, de modo que el interior de la cubierta parecía estar adornado con nubes negras. Muy apropiado, en realidad.

Fred fue a su casa y recogió el libro. Después, Jess se sentó y escribió la redacción menos inspirada de todos los tiempos, porque solo podía pensar en todo por lo que tendría que pasar al día siguiente, cuando la gente la viese hablando con sus tetas.

Tumbada en la cama, decidió mandarle un SMS a su padre.

¿CÓMO DESTRUIRÍAS UNA CINTA DE VÍDEO? Preguntó.

Dos minutos después, su teléfono vibró. ¿QUÉ CINTA DE VÍDEO?

¡¡Típico!! UNA QUE DEGRADA A LAS MUJERES, contestó.

¿TIRÁNDOLA DEBAJO DE UN AUTOBÚS?, respondió.

¿Y SI TIENES QUE DESTRUIRLA DENTRO DE CASA?

Una pausa. SACA UN POCO DE LA CINTA Y HAZLA TROCITOS CON TUS TIJERAS PARA LAS UÑAS.

Hummmm. Esto dio a Jess un pequeño rayo de esperanza. Si pudiese sentarse mañana en primera fila, con sus tijeras escondidas en la mano, abalanzarse sobre el vídeo y cortar la cinta antes de que nadie pudiese detenerla... Era su única una esperanza.

GRACIAS PAPÁ. ERES FANTÁSTICO Y TE QUIERO, le escribió.

FORMA PARTE DEL SERVICIO. HE COMPRADO UNA GAVIOTA QUE SE LLAMA HORACE. LOS DOS TE MANDAMOS BESOS. OJALÁ ESTUVIESES AQUÍ.

Pero Jess tambien tenía un plan B. Si se le presentaba la oportunidad de coger la cinta, la haría trizas. Si no, se fugaría de casa y se iría a vivir con su padre a Saint Ives. Una nueva vida. Un nuevo colegio, nuevos amigos. Y un nuevo nombre. A Jess le gustaba Zara Zeta-Zollwiger. Nadie se metería con ella con un nombre como ese.

11. VIRGO: TE HAS ESFORZADO TANTO EN MEJORAR QUE MERECES TRIUNFAR. PERO EN LUGAR DE ESO TE PREMIARÁN CON UN MAL ALIENTO

Jess le mandó un mensaje de texto a Ben aceptando quedar en el burger.

"¡Guau! ¡Parece que entre Ben y tú hay realmente tema!", dijo Flora cuando se enteró. Jess se encogió de hombros. Nunca le había apetecido tan poco una cita. Estaba tan nerviosa con la proyección del vídeo que había perdido completamente el apetito. Le parecía impensable tomarse una hamburguesa. No creía que pudiese volver a comer. De repente, la sola idea de tener que meterse algo en la boca para hacerlo desaparecer le parecía inconcebible.

Consiguió beberse un chocolate caliente. Le daría fuerzas para el suplicio que le esperaba. Ben se sentó frente a ella. Se comió una hamburguesa y dijo, como venía siendo habitual, unas seis palabras por minuto. "¿Has visto *El exterminador III*?", le preguntó. Jess lo negó con la cabeza con desgana. "Es una auténtica pasada", le aseguró Ben. "Va de unos alienígenas con aspecto de cucarachas que invaden la Tierra y disparan rayos letales con las antenas". Jess mostró interés. "Si quieres, te la presto", dijo Ben.

Jess le dio las gracias. Pero en realidad no estaba escuchando. De vez en cuando, si Ben sonreía, ella, como respuesta, conseguía levantar las comisuras de los labios. Pero era más bien la sonrisa de un extraterrestre, de alguien que trata de pasar por un humano. Finalmente, Ben se terminó sus patatas fritas, y se fueron andando a casa de Tiffany.

A Jess le pesaban las piernas al caminar. Iba encogida. Y aunque no había comido nada durante horas y horas, le parecía que su estómago estaba lleno de ladrillos. Agarró fuertemente las tijeras de uñas que llevaba escondidas en el bolsillo. Pero ¿conseguiría hacerse con la cinta?

Unos diez minutos después, llegaron a casa de Tiffany. "Ánimo", dijo Ben, mientras esperaban en la puerta. "¡Va a ser genial!". Su comentario demostraba que no tenía ni idea de nada. De hecho, iba a ser un horror.

Tiffany abrió la puerta y Jess entró a trompicones.

"¡Ah, hola, Jess!", sonrió Tiffany, con cierto sadismo. "Jack dice que tú eres la protagonista. No ha dejado ver a nadie la cinta, así que ¡nos morimos de ganas por saber qué has hecho!". Jess sonrió, procurando que fuera de manera fría y despectiva, y siguió a Tiffany por el inmenso recibidor.

Entraron entre grandes vítores en el salón palaciego. Todos los de su curso parecían estar allí. Y la televisión de Tiffany era, naturalmente, de plasma de la gama más alta.

"¡Qué pedazo de tele!", susurró Ben, mientras se sentaban en un rincón que, desgraciadamente, no era suficientemente oscuro. "¡Tiene una pantalla de cuarenta y dos pulgadas, con *fasttext* y sistema de sonido *AFB Dome*!".

Jess era incapaz de responder. Simplemente se alegraba de no ser un chico que tuviera que emocionarse con detalles tan aburridos. Le deprimía enterarse de que la televisión tenía cuarenta y dos pulgadas, con lo que sus tetas se podrían ver a tamaño real. Y Jess solamente tenía una talla 34A.

En el otro extremo de la habitación, Flora se había sentado acurrucada contra Mackenzie. La saludaba con la mano efusivamente y le soplaba besos de un modo irritante. Sentado al fondo, apretujado en un sofá con otros cinco tíos más, estaba Fred. Le puso a Jess cara de mono y levantó los pulgares. Jess intentó arquear una ceja con gracia, pero le empezó a temblar descontroladamente, como cuando en las noticias fallan las conexiones y no entran bien los vídeos. Se dio media vuelta sin levantar los pulgares. No creía que ese gesto reflejara en absoluto su estado de ánimo. Jack, el hermano de Tiffany, un tipo con un aspecto un poco siniestro y regordete, se levantó, y el público rugió con aprobación. Él levantó los brazos hacia arriba.

"¡Basta! ¡Basta!" gritó, "¡Vamos a ello!" Nadie ha visto el vídeo excepto yo, y puedo aseguraros que es ¡la bomba! Los chicos aullaron y las chicas gritaron. Jess deseó estar en cualquier otra parte del mundo. Comparado con esto, un castigo era una bendición. Preferiría estar limpiando seis horas seguidas que estar un segundo más en este agujero infernal. Pero solo tenía que encontrar un momento para actuar.

"¡Una cosa más!", gritó Jack. "Chicas, queremos deciros que apreciamos cómo os lo habéis tomado, y para mostraros lo agradecidos que estamos, vamos..., ¡vamos a poner después un vídeo de Fórmula 1! Todos los chicos clamaron de alegría. Las chicas chillaron, expresando su desagrado, excepto Alice Fielding, que estaba colada por Michael Schumacher.

"Para evitar sonrojos", dijo Jack, "vamos a bajar un poco las luces. ¿Te parece, Sam?". Un chico que estaba de pie junto a la puerta atenuó la luz. La oportunidad de Jess había llegado. Sacó de repente sus tijeras e intentó extraer la cinta, pero antes de que hubiese podido siquiera tocar el aparato, dos chicos grandes la sujetaron y la devolvieron a su sitio. "Buen intento, Jordan", comentó Jack. "Sentaos encima de ella". Lo hicieron Harry Oakham y Joe Marks, y alguien le quitó sus tijeras de uñas. Jess bajó la cabeza y cerró los ojos.

Dios, por favor, pensó, en un último intento desesperado de escapar de la vergüenza más absoluta, *¡ayúdame! ¡Envía un ángel guardián para que origine un cortocircuito! Si se me sacas de esta, ¡prometo ser una buena chica!* Aunque era mucho pedir que se produjera una intervención divina en el último momento. Conociendo su suerte, solo conseguiría dejar el mensaje en el contestador de Dios.

El momento de su total humillación había llegado. Jess oyó el ruido del vídeo al ponerse en marcha. Pero, entonces, sonó una estruendosa música tipo Hollywood. Jack soltó una palabrota. Algunos chicos abuchearon. Algo había fallado. Jess miró la pantalla y, para su sorpresa, vio que estaba empezando *¡Blancanieves y los siete enanitos!*

"¡Subid la maldita luz!" gritó Jack, rebuscando entre toda la colección de vídeos, en su mayoría esparcidos por el suelo debajo del televisor. Jack fue cogiendo cinta tras cinta, mirándolas y tirándolas al suelo con gesto desesperado. "¡¿Quién es el gilipollas que tiene la cinta?!", preguntó finalmente, rojo de ira. "¡Vamos!, ¡seas quién seas, hijo de puta, devuélvemela ahora!".

"¡La tiene Howells!", dijo uno de los chicos. Se abalanzaron sobre Gary Howells, que, a pesar de emitir gritos de protesta, fue cacheado y recibió algunos golpes, pero la cinta no apareció.

"¡Pon la Fórmula 1!", gritó John Woodford. "De todas formas, ¿a quién le interesa lo que ocurre en el cuarto de baño de las chicas?". Hubo un aullido entre los chicos, mitad de rabia, mitad de aprobación. Jack parecía resignado, pero al menos se le ofrecía una salida. "¡De acuerdo, de acuerdo!", dijo. "Podemos ver el vídeo más tarde, cuando aparezca".

Jess emitió un tremendo suspiro de alivio y, por primera vez en su vida, se preparó para disfrutar de la Fórmula 1 como nunca nadie lo había hecho, ni tan siquiera esos hombres inmensamente gordos que se dedican a beber cerveza en el sofá. *¡Gracias, gracias, Dios mío!*, pensó en un arrebato de éxtasis. *¡Gracias ángel de la guarda, quienquiera que seas! ¡Este es el mejor momento de mi vida!* Solo le molestaba una cosa. Hacía un rato le había prometido a Dios que si

Él la libraba del bochorno, procuraría ser una buena chica. ¡Le iba a suponer un esfuerzo descomunal!

La fiesta acabó relativamente pronto, porque ver vídeos de Fórmula 1 no era precisamente la idea de diversión que tenían las chicas, y Jess volvió a casa a las diez, afortunadamente, porque su madre ya estaba bastante enfadada. "¡Te he dicho mil veces que no me gusta que salgas entre semana!", le espetó. "¡Y tengo que saber dónde estás!".

"Solo he ido a casa de Tiffany", musitó Jess. "A ver una película. Y por si quieres saberlo, me he aburrido un montón".

Al día siguiente, en el colegio, corrían rumores de todo tipo. ¿Quién había robado la cinta? Los rumores se sucedían. Se la habían vendido a un empresario japonés. La habían comprado para la televisión por satélite. No había existido nunca tal grabación. Jess mantuvo la cabeza baja y los dedos cruzados. Sí, el día anterior se había salvado, posiblemente por intervención divina. Pero la cinta podía aparecer en cualquier momento, y la proyección podía organizarse otra vez en un abrir y cerrar de ojos.

Jess intentó con todas sus fuerzas ser buena, como le había prometido al Altísimo. No quería fastidiarla en un momento dado con algún comportamiento irreflexivo. Afortunadamente, Ben Jones faltó, así que no cayó en viles tentaciones asociadas con la lujuria. Logró incluso estar concentrada en clase de Historia, e hizo todas las tareas con una caligrafía extrañamente perfecta. En Lengua se sentó en la primera fila y levantó la mano para contestar cada pregunta con una vocecita virtuosa. Corrió de un lado para otro e intentó jugar al tenis en la hora de Educación Física, aunque procuró no sudar demasiado por si a Dios no le gustaba. Al terminar las clases, se había convertido en una auténtica cristiana y estaba completamente agotada.

"¿Estás bien?", le preguntó Flora. "Has estado un poquito extraña, guapa. ¿Qué te pasa?".

"No es nada", dijo Jess, encogiéndose de hombros. "Es solo un dolor de cabeza. Me voy a casa, que tengo que arreglar mi cuarto". Se marchó a casa sola. Los demás se iban al Dolphin Café, pero ella no quería volver a oír hablar del maldito vídeo en toda su vida.

Hoy más que nunca, su casa le parecía un refugio. Le resultaba mucho más acogedora desde que vivía allí la abuela, posiblemente porque encendía la calefacción hasta en verano y porque siempre estaba preparando té. Un olor delicioso salía de la cocina.

"La abuela nos ha hecho su famoso estofado", dijo la madre de Jess desde su mesa, donde estaba repasando unas facturas. El teléfono sonó mientras hablaba.

Contestó y se lo pasó a Jess con un gesto de fastidio. "Es Fred", dijo, y se fue a la cocina a hacer alguna tarea doméstica, posiblemente a comprobar que el estofado de la abuela no tuviese murciélagos y sapos.

Jess agarró el teléfono. "¡Hola Fred!". Estaba intrigada. Fred no llamaba demasiado a menudo. Pero también estaba aterrada. A lo mejor alguien había encontrado la cinta, y Fred llamaba para advertírselo.

"Nos vemos en la parada del autobús en cinco minutos", dijo bruscamente. "Quiero devolverte *Noche de reyes*".

Jess se sorprendió. Para empezar, Fred no solía utilizar frases cortas y, además, ya le había devuelto el libro en el colegio. Tenía una actitud casi siniestra. Jess cogió su cazadora.

"¿Dónde vas?", dijo su madre. "¡La cena está casi lista!".

"¡No tardaré ni un minuto!", chilló Jess, y salió de la casa corriendo. "¡Voy a por el libro que le presté a Fred!".

Llevaba vaqueros y deportivas, y la parada estaba cerca. A mitad de camino entre la casa de Fred y la suya. Corrió todo el camino, con el corazón acelerado por el miedo y, para ser sinceros, por la falta de ejercicio. Fred la estaba esperando. Reconoció su figura alta y desgarbada desde lejos.

"No podía hablar por teléfono", dijo Fred con un aire misterioso desde debajo de su capucha. "Mi madre estaba escuchando. Pensé que probablemente querrías esto". Le entregó un paquete envuelto en un sobre acolchado.

"¿Qué es?", preguntó Jess.

"El vídeo de la casa de Tiffany", contestó. "Llegué pronto ayer y lo mangué cuando Jack estaba en el baño. Lo escondí en los bolsillos gigantes de mis pantalones".

Jess tuvo que esforzarse para no lanzarse a su cuello. Sabía que era el tipo de reacción que él odiaba. "Fred, ¡eres mi salvación!", gritó. "No puedo explicarte, no puedo explicarte lo que esto significa para mí". Un pensamiento se le pasó por su cabeza. "¡Eh! No lo habrás visto, ¿verdad?". Se puso colorada como una amapola, desde los pies hasta la cabeza.

Fred se encogió de hombros enigmáticamente. "¿Qué? ¿Crees que tengo interés en ver a un montón de tías yendo al cuarto de baño? Personalmente prefiero los vídeos de fauna salvaje". Jess intentó averiguar si estaba mintiendo o no, pero con Fred era imposible. "No le digas a nadie que lo cogí yo", le advirtió Fred. "Preferiría llegar a adulto con todas las partes de mi cuerpo intactas".

"¡Juro que no le contaré nada a nadie!", prometió Jess. "Fred, te debo una. Dime qué puedo hacer por ti.

Haré lo que sea. Me iré a gatas hasta África y te traeré una bolsa de mangos entre los dientes. Si me lo pides, lo hago. Lo que sea".

"No será necesario", dijo Fred. "Como todo adolescente, odio la fruta, y hasta me da miedo, como la luz a los vampiros. No veo por qué tenemos que volver a mencionar el vídeo. En lo que a mí respecta, esto no ha ocurrido jamás. ¡Chao!". Se dio la vuelta y se fue.

¡Asombroso! Jess corrió hasta casa, apretando con fuerza el temible paquete. No bastaba con tirarlo a la basura. No descansaría hasta que lo hubiese hervido, cocinado, revuelto, asado y machacado con un mazo. Pero puede que le echase una ojeada primero.

12. VIRGO: LAS MIGAS DE PAN DEBAJO DE TU CAMA PRODUCIRÁN UN MOHO LETAL QUE SE TE METERÁ EN LA NARIZ MIENTRAS DUERMES

Jess llegó a casa justo cuando su madre estaba poniendo el estofado de la abuela sobre la mesa. La abuela levantó la vista excitada. “Hay un hombre en Escocia, un inspector de Hacienda, quién lo iba a decir... Han descubierto que ¡asesinó a su mujer y la enterró debajo de la barbacoa de ladrillo!”, exclamó.

“¡Abuela!”, dijo la madre de Jess, “¡en la mesa, no! Jess, lávate las manos. Toda precaución es poca con la de gérmenes que hay por ahí”.

Jess dejó el paquete con el vídeo encima de su silla y se lavó las manos en la pila. Siempre comían o cenaban en la cocina. Era agradable y tenía vistas al jardín.

“En mis tiempos, no había muchas de las enfermedades que hay ahora”, señaló la abuela. “Aunque una chica de mi calle murió trágicamente al atragantarse con un petardo".

La abuela siempre llamaba petardos a las salchichas y se negaba a comerlas. "No me fio ni un pelo de los petardos; cuanto más lejos, mejor", había dicho una vez, y le dio a Jess la idea de crear unas olimpiadas geriátricas, en las que el lanzamiento de salchichas podría ser el deporte estrella. Una pena que Jess no tuviese tiempo para organizarlas, de momento.

"¿Qué es ese paquete que hay en tu silla?", preguntó su madre.

Jess se puso colorada. "El libro que le presté a Fred", dijo.

"¿Por qué te pones colorada?", inquirió su madre con suspicacia.

"¿Es Fred tu novio?", preguntó la abuela, parpadeando juguetonamente.

"¡No, abuela! Es solo un amigo, ¿vale? Preferiría limpiar la calle con la lengua antes que tener una relación de ese tipo con un miembro del género masculino". Jess empujó el paquete debajo de su silla, con disimulo, intentando aparentar que, efectivamente, era una aburrida obra de Shakespeare.

La madre de Jess sirvió el estofado. "¡Qué pinta! ¡Me muero de hambre!", dijo Jess. "Me encanta el estofado de la abuela. ¿A ti no, mamá? Un auténtico hallazgo gastronómico". Era importante seguir hablando, para alejar la atención de su madre del temido y misterioso paquete.

"¡Ah, sí!", brillaron los ojos de la abuela. "No me gusta nada la moda esa de comer sushi japonés, pero donde se ponga un buen estofado... Esta vez le he puesto un pellizco de orégano para darle un toque más italiano".

"Vámonos a Italia este verano, ¿te parece, mamá?", propuso Jess. "Las tres. En Italia adoran a las abuelas. Vi una vez una peli italiana y había montones de abuelas sentadas a la sombra y echando maldiciones a la gente. ¿Podemos ir a Italia, mamá? ¡Por faaaaaa!".

"Me encantaría llevarte a Italia y enseñarte los tesoros del Renacimiento italiano, pero este año somos demasiado pobres", dijo su madre, bebiendo agua de un modo cansino. Y empezó a comer estofado. ¡Uf! Parecía que se le había olvidado el paquete misterioso de Jess.

"Entonces, ¿quién es tu pintor italiano favorito, mamá?".

"Botticelli", dijo la madre de Jess. Aunque Jess ya lo sabía; había pinturas de Botticelli en todas las paredes. Desgraciadamente, no eran originales sino reproducciones. De haber tenido un original de Botticelli, no les faltaría dinero para viajar a Italia. Probablemente tendrían una segunda residencia allí, un palacio con piscina.

En el cuarto de baño, tenían *El nacimiento de Venus*. En la lámina se podía ver a una preciosa mujer rubia emergiendo de las aguas sobre una concha. Los dioses de los vientos empujaban la concha con sus soplidos, y una criada le ofrecía una capa. La madre de Jess había comentado que Venus se parecía un poquito a Flora, cosa que había irritado a Jess.

Más irritante aún era el Botticelli del salón, porque este sí que era un retrato de Flora. Obviamente, no de Flora Barclay, la amiga de Jess, sino de Flora, la diosa de la primavera. Era bastante incómodo tener una amiga que se parecía no a una, sino a dos diosas: a la de la primavera y a la del amor. Y más aún cuando Jess se parecía al simio de la famosa obra *Simio con uvas* o al perro del cuadro titulado *Bodegón con buldog, ensalada y patatas fritas,* de Alessandro Poggibotti.

"¿A ti de qué te gustaría ser diosa, abuela?", preguntó Jess.

La abuela pensó durante un minuto. "De los dientes", respondió. "Me aseguraría de que los dientes de todo el mundo durasen toda la vida". Suspiró. "Eso es lo que me gusta del estofado: no tengo que masticar casi. Hoy en día, sería incapaz de tomarme una chuleta de cordero".

"¿Y a ti, mamá? ¿De qué te gustaría ser diosa?". Jess empezaba a sentirse más relajada. Comenzaba a pasárselo bien e, incluso, se estaba planteando de qué le gustaría ser diosa a ella. De las tetas, posiblemente. Haría que todo el mundo tuviera unas tetas enormes que le durasen toda la vida. Los tíos no, claro. ¿Aunque por qué no? Si todo el mundo tuviera tetas, no se armaría tanto revuelo en torno a ellas. Y los luchadores de sumo, la verdad...".

"Sería la diosa de los paquetes misteriosos", dijo de pronto la madre de Jess, con una mirada penetrante. "Tendría una visión de rayos X, para poder conocer el contenido de los paquetes sin tener que escuchar una sarta de mentiras".

"En ese caso, podrías trabajar en el aeropuerto, querida", dijo la abuela. "Aunque espero que no trabajes allí nunca, porque creo que las bibliotecas son más seguras. Todavía no hay ataques terroristas en las bibliotecas, ¿verdad?".

"Me gustaría que lo intentasen", dijo la madre de Jess con rotundidad. "No pasarían de la sección de cocina o de la de jardinería. Así que Jess: ¿qué es lo que hay realmente en ese paquete?". Se giró de forma traicionera hacia su indefensa hija.

Jess volvió a sonrojarse. "Ya te lo he dicho: un libro. ¿Por qué me estás haciendo pasar tan mal rato?".

"¡Seguro que hay drogas!", dijo la madre de Jess, con un aire trágico y dramático.

"¡Mamá!" No toco las drogas. Jamás, jamás, jamás he tomado drogas. Ni siquiera una aspirina. Te lo juro por...". Jess miró a su alrededor en busca de algún objeto sagrado y caminó hasta el alféizar, donde habían colocado una urna de cobre y algunas otras cosas de la abuela. "Te lo juro por la sagrada memoria del abuelo, con sus extravagantes sombreros y sus largos pelos de la nariz, que no hay drogas en ese paquete. Nunca he tomado drogas y no lo haré jamás". Jess puso la mano sobre la urna que contenía los restos del abuelo.

La abuela se llevaba las cenizas del abuelo a todas partes. Todavía no había decidido dónde esparcirlas. Siempre prometía que lo iba hacer, pero la urna permanecía con ella. Solía estar en el aparador de su casa, y ahora estaba en la ventana de la cocina. Probablemente no era muy higiénico tener sus cenizas en casa, pero resultaba práctico si tenías que hacer una promesa solemne.

Jess retiró la mano y miró desafiante a su madre. ¿Iba a echarse atrás y a aceptar que no había drogas en el paquete? ¿O iba a insistir en ver la obra de teatro de Shakespeare? Si su madre descubría que el paquete contenía un vídeo un poco fuera de lo común, podría querer verlo. Y si Jess tuviese que presenciar cómo su propia madre veía el horrendo numerito de los rellenos de minestrone, ¡se moriría de vergüenza! Para finales de semana, habría otra urna junto a la del abuelo.

13.
VIRGO: A TUS DEMONIOS LES CRECERÁN LAS PIERNAS Y, DESPUÉS, SE PASEARÁN POR TU CARA

Jess respiró profundamente. Solo había una manera de salir airosa. "De acuerdo, mamá. Lo admito, no es mi ejemplar de *Noche de reyes*".

"Ya lo sé", dijo su madre con aire de satisfacción. "¿No te das cuenta que el libro se está medio saliendo de tu mochila?". ¡Otra vez traicionada por su propio desorden! Jess se preguntó si para Dios *ser buena chica* incluía ser limpia y ordenada. Si era así, sus oportunidades de ir al cielo eran francamente nulas.

"Pero no son drogas, mamá. Nunca sería tan estúpida. Y Fred tampoco. Ni siquiera tomo paracetamol. Por favor, créeme".

"¿Entonces qué es? Y es inútil que me mientas, Jess, se te nota en la cara".

"Un vídeo", dijo Jess, con la esperanza de poder poner punto y final al asunto.

"¿Qué tipo de vídeo? Algo que no deberías ver, obviamente, o no me hubieses mentido. ¿Es una película no autorizada para menores?".

"No".

"¿Es de terror?", preguntó la abuela. "No me importaría echarle un vistazo. Una vez vi una magnífica de zombis".

"Si te lo cuento, no te lo vas a creer", dijo Jess. "Fui el fin de semana pasado a una fiesta en casa de Tiffany, ¿te acuerdas? Bueno, después descubrimos que el hermano de Tiffany había escondido una cámara de vídeo en el cuarto de baño de las chicas, así que grabó a todas las que entraron. Obviamente, estábamos aterradas. Y los chicos organizaron otra fiesta —que es donde estuve ayer—, en la que pensaban enseñar el vídeo ".

"¡Hombres! ¡Muy típico del concepto masculino de *diversión*! Primitivo e inmaduro", manifestó la madre de Jess.

"Estoy de acuerdo. Bueno, en cualquier caso, Fred consiguió hacerse con la cinta y la escondió para nadie pudiese encontrarla. Me la acaba de dar para que la destruya".

"Si es solo eso, déjame verla". La madre de Jess tendió la mano. Jess le entregó la cinta. Gracias a

Dios había contado la verdad y no había dicho que el vídeo fuera *Las novelas de Charles Dickens: una guía para estudiantes* o *Animales marinos de los arrecifes.* La madre de Jess se dirigió hacia el salón y colocó la cinta en el aparato de vídeo. Jess y su abuela la siguieron y se sentaron en el sofá. Aunque hubiese contado la verdad, a Jess le latía el corazón como una taladradora. No tenía ni idea de cuándo aparecería ella en la cinta, pero la sola idea de que su madre y su abuela pudiesen ver toda la farsa, le hacía querer gritar como una posesa y fugarse a Borneo. Donde quiera que estuviese Borneo y le daba la impresión que muy lejos. Lo peor de todo sería que descubrirían que llamaba Bonnie y Clyde a sus tetas. ¿Puede haber algo peor a que tu madre y tu abuela se enteren de una cosa así?

Al principio solo se veían un montón de rayas y de destellos, pero después la imagen se fijó y apareció el cuarto de baño de Tiffany. Se podían ver el lavabo y la pared del fondo, pero no el inodoro: quedaba a la derecha, fuera de la vista. Durante un buen rato, no se vio nada, solo la pared. Era como todos los vídeos caseros: en blanco y negro, con las imágenes granuladas y aburrido. Nadie ganaría un óscar con ese vídeo. Hubiese sido mucho más entretenido ver *Las novelas de Charles Dickens: una guía para estudiantes.*

Entonces, apareció alguien, una tal Sophie a la que Jess apenas conocía. Caminó hasta el extremo derecho de la pantalla, se giró y desapareció de la vista. Podías intuir que se iba a bajar los pantalones justo en el momento en que salía de la pantalla. "Bueno, si todo lo que los chicos ofrecen es esto, entonces es un espectáculo bastante malo", dijo la madre de Jess, levantándose. "En la colección de cintas de vídeo de la biblioteca hay material mucho más sórdido". Volvió a la cocina y empezó a recoger la mesa.

Jess siguió viendo el vídeo. Sophie reapareció, subiéndose los pantalones. Comprobó el estado de su maquillaje, sacó el rímel y se retocó. Tardó una eternidad y fue muy aburrido. "Desearía que alguien se acercase por detrás sigilosamente y la asesinase", dijo la abuela.

"Has visto demasiadas pelis de suspense, abuela", respondió Jess. "De todos modos, nadie se podría acercar a ella por detrás, salvo que saliera del inodoro".

"Esa sería una buena idea", dijo la abuela, "un asesino con un traje de buzo empuñando un arpón".

"Nunca podrías meter un arpón por el recodo con forma de ese que tiene la tubería", señaló Jess. Empezaba a sentirse mucho mejor, pero todavía deseaba que la abuela se fuese a la cama.

Finalmente, Sophie terminó de retocarse y salió del cuarto de baño. Hubo otra larga espera. Entonces Alice Andrews entró, se quitó las lentillas, las enjuagó y se las volvió a colocar después de echarse una gotas en los ojos. Luego se sonó la nariz, se lavó las manos, buscó algo en el bolso, se volvió a mirar en el espejo y se marchó.

"Jess, cariño, me estoy aburriendo un poco", comentó la abuela, "¿podríamos ver *Cocodrilo Dundee*?".

Jess quería ver la cinta hasta el final pero no con su abuela delante. No podía saber cuántas chicas habían ido al cuarto de baño antes que ella. Podía aparecer en cualquier momento en escena con el canalillo lleno de minestrone.

"De acuerdo, abuela". Jess puso *Cocodrilo Dundee* y se marchó arriba con la cinta de vídeo. Le dijo a la abuela que tenía deberes que hacer, cosa que era cierta. Todavía no había empezado la redacción que le habían mandado hacer en clase. Sin embargo, una vez arriba, le distrajo el caos imperante en su nueva habitación. Sus cosas estaban tiradas por todas partes y se salían de las bolsas negras de plástico. Tendría que haberse sentado a pensar el esquema de una redacción titulada "*Noche de reyes*, de Shakespeare: una comedia con momentos oscuros". En lugar de eso, se puso a organizar su ropa, doblándola y colocándola cuidadosamente en los cajones. Era prácticamente la primera vez en su vida que hacía algo así, pero era extraña y perversamente entretenido.

Su madre llamó a la puerta media hora después. "Siento no haberme creído lo del vídeo, cariño", dijo y abrazó a Jess. "Hoy estoy un poco estresada. Tu abuela se va a la cama, ¿puedes bajar y darle un beso de buenas noches?".

"Claro", dijo Jess. Bajó corriendo y le dio ese beso a su abuela, que se encontraba sentada en la cama de su antiguo cuarto. No parecía el mismo, incluso la cama estaba en otro sitio.

"Jess", susurró la abuela, "¿podrías traer al abuelo aquí conmigo? No me gustaría estar separada de él si me muero mientras estoy dormida". Guiñó un ojo con picardía. Para alguien que estaba siempre pensando en la muerte, la abuela era sorprendentemente alegre.

Jess trajo la urna que estaba en la ventana de la cocina y la colocó en la mesilla de noche de su abuela. "¿Sabes, cielo?, un día de estos esparciré las cenizas en el mar, si es que puedo prescindir de ellas", le confió. "Pero si me voy antes de tener la oportunidad, prométeme que lo harás por mí. Quiero esparcirlas en un pequeño lugar en Cornwall, donde pasamos nuestra luna de miel. Se llama Mousehole". Jess se lo prometió, no sin antes asegurarle que parecía muy sana y que llegaría a cumplir los cien.

"No quiero que tu madre tenga la custodia del abuelo", explicó en un tono conspirador. "Probablemente lo tiraría entre las zanahorias". Jess declaró que evitaría que su madre abonase el huerto con los restos de cualquiera de los abuelos y, finalmente, consiguió escaparse. Corrió escaleras arriba a por el vídeo.

"¡Jess!", llamó su madre mientras pasaba por delante de la habitación-caja. "Estoy destrozada; me voy a ir pronto a la cama. ¿Puedes ocuparte de apagar todas las luces antes de acostarte, cielo? Pero deja una encendida en el vestíbulo, por si tu abuela quiere ir al cuarto de baño durante la noche".

Jess asintió, le dio un beso a su madre y volvió al salón para ver el resto de la cinta. Se saltó las partes aburridas, pero vio algunas cosas que la sorprendieron. Dos chicas entraron juntas, Shona Miles y Lily Thornton. Shona se arregló el pelo mientras Lily hacía pis. ¡Imagínate mear con otra persona en el baño! Jess sabía que Shona y Lily eran amigas inseparables, pero ella jamás, jamás, jamás hubiese hecho pis delante de Flora. Había oído que en la India la gente hacía pis y caca en la calle. Bueno, ella jamás iría a la India, eso seguro. Ni siquiera le gustaba tener retratos o fotos de gente en el cuarto de baño. Sus ojos siempre te seguían por la habitación con cierto aire de burla.

Una vez hubo terminado de hacer pis, Lily le depiló las cejas a Shona. Después se echaron perfume la una a la otra. Y entonces, ¡gran sorpresa! ¡Se besaron! ¡Se besaron de verdad! No se dieron un besito amistoso en la mejilla. Se dieron un enorme, largo y baboso morreo. "¡Aaahhh!", gritó Jess. Aunque pensaba que ser lesbiana era guay, estaba muy sorprendida. No se lo esperaba. ¡Lily y Shona eran lesbianas! ¿Pero lo serían realmente? Lily había estado saliendo con dos chicos. A lo mejor era bi. Jess a veces se preguntaba si ella misma no sería bi. A veces pensaba que le gustaba Macy Gray.

De cualquier forma, Lily y Shona pronto desaparecieron de la pantalla, y alguien más entró y desapareció por el otro lado de la pantalla. Era Donna Fielding, claramente desesperada por hacer pis. No se lavó las manos cuando terminó. "¡Qué guarra!", gritó Jess. Nunca volvería a comer en casa de Donna. Después de Donna, entró Jodie Gordon, que se dedicó durante un buen rato a explotarse los granos que tenía en la barbilla, las cejas, los hombros; incluso en la parte superior del pecho... ¡Dios mío! Jess lo contemplaba con horror. Finalmente, Jodie terminó, le hizo una mueca al espejo, dijo algo, se burló de su reflejo y salió.

Se estaba haciendo tarde y, aunque fascinada por lo que había visto, Jess estaba impaciente por ver su propia interpretación. Avanzó la cinta hasta que reconoció, horrorizada, su propia imagen. Atravesó corriendo la pantalla y desapareció. El momento en el que se quitaba los rellenos del sujetador y los tiraba por el inodoro no aparecía en el vídeo.

Volvía al lavabo y se quitaba el top. El lavado de las tetas era ciertamente el momento cumbre de la cinta hasta el momento, pero no duró mucho, porque al poco tiempo se dio la vuelta para secarse y vestirse de nuevo. Y aunque podía verse el movimiento sus labios, como la cinta no tenía sonido, nadie hubiera descubierto su terrible secreto: que hablaba con sus tetas y las llamaba Bonnie y Clyde.

Jess sacó la cinta del aparato y se fue a la cocina. Podía oír a su abuela roncando levemente en su dormitorio. En cambio, de la habitación de su madre, no salía ningún sonido. Jess se preguntó cómo destruir la cinta. Lleno la pila con agua y sumergió la cinta en ella. Luego la sacó y la puso en el suelo para pisotearla. Recogió los trozos destrozados y empapados, y los tiró al cubo de la basura.

Más tarde, tumbada en la cama, pensó que no había sido tan horrible como había imaginado. Nadie sabría ni lo del minestrone, ni lo de Bonnie y Clyde. Es verdad, aparecía en topless. Pero prefería aparecer en topless que explotándose granos o morreándose con una chica.

Y había algo extrañamente reconfortante en su apariencia. Bonnie y Clyde no eran tan minúsculas como había pensado. De acuerdo, nunca tendría una delantera espectacular. Siempre sería capaz de verse los pies y de alcanzárselos para hacerse torniquetes. Tampoco habría peligro de que pudiese tirar con sus enormes tetas valiosos cacharros de porcelana de una estantería. Pero Bonnie y Clyde eran, bueno, aceptables. Y aunque Jack —y posiblemente algunos de sus amigos— las hubiesen visto en la cinta, no le importaba en absoluto, porque eran mayores que ella y apenas los conocía. Lo importante era que ni Ben Jones ni Mackenzie las habían visto.

Y Fred, bueno, dijo que no había visto la cinta. Dijo que prefería los vídeos de fauna salvaje. ¿Sería eso verdad? Nunca se estaba segura con Fred. Jess tampoco estaba segura de si le importaba o no que hubiera visto el vídeo. Lo que estaba claro era que Fred había realizado una acción heroica para conseguirle la cinta. Le debía una. Pero no tenía muy claro *cuál*.

14.
VIRGO: TE DARÁS CUENTA DE QUE LA CESTA DE LA COLADA ESTÁ POSEÍDA POR EL DEMONIO

"Sea quien sea el que mangó el vídeo es tonto del culo", dijo Mackenzie. Ben, Flora, Jess y él estaban sentados en la tapia junto al laboratorio de Ciencias a la hora del recreo. Todavía se hablaba del vídeo, pero ahora, por fin, a Jess no le importaba, porque sabía que nunca lo encontrarían. Tenía un ángel de la guarda y su nombre era Fred Parsons. Un nombre inesperado para un ángel, pero así es la vida. "Jack dijo que la cinta era dinamita pura, que era total, una pasada. Nos lo hubiéramos pasado en grande viéndola", dijo Mackenzie.

"Como una de las supuestas estrellas de esa repugnante broma de mal gusto vergonzosa", intervino Jess, "si algún tonto del culo destruyese la cinta, se lo agradecería enormemente".

“No hace falta que seas tan susceptible”, dijo Flora. No le gustaba que Jess le llevase la contraria a Mackenzie. “Solo fue una broma divertida”.

“¡No pensarías eso si hubieses estado en el cuarto de baño haciendo algo íntimo delante de la cámara!”, le contestó Jess. Flora frunció el ceño, miró hacia otro lado y suspiró, como si Jess fuera pesada e infantil. Jess frunció el ceño y desvió la mirada, porque Flora definitivamente *estaba siendo* pesada e infantil. Además, no hacía más que ponerse del lado de los chicos; la peor de las traiciones posibles. Ben Jones observaba con admiración sus deportivas. No había abierto la boca en los últimos diez minutos. Sí, eran un feliz cuarteto.

De repente, Ben se volvió hacia Mackenzie. “Hum, ¿qué extras tiene el ordenador nuevo de tu padre?”.

Mackenzie pareció aliviado. “Tarjeta de sonido integrada *Soundblaster,* tarjeta gráfica *Intel Extreme,* altavoces *Harmon Kardon 395, Microsoft Works 7.0* y el *Dell Picture Studio*”.

“¡Qué pasada! ¿Qué capacidad tiene el, hum, disco duro?”.

“Sesenta gigas”.

¡Típico!, pensó Jess. *No soportan enfrentarse a las emociones.*

“¡Cómo les gusta a los hombres hablar de tecnología para no tener que hacerlo de otras cosas!” observó

Jess. "De los que yo conozco, el único que no lo hace es Fred". Aunque su padre tampoco tenía ni la más remota idea de tecnología. Una vez que se le estropeó el coche, le había rogado y suplicado que volviese a funcionar, en vez de lanzarse como un experto sobre el motor y *rebonquecer* los *flagentos* de los pistones. "Ada, por favor, por favor, ¡te lo suplico! ¡Sé un buena chica y te compraré una lata de aceite maravillosa para la cena!", le dijo. Entonces, cuando Ada se negó a ponerse en marcha, le gritó, "¡Maldita puta! ¡Hemos terminado!". Salió y le dio una patada al coche. Pero Jess se daba cuenta de que su padre era bastante atípico en este aspecto. Después de todo, era un artista.

"Tienes que admitir que Fred es un poco raro", dijo Flora.

"¡¿Raro?!", se enfadó Jess. "¿Qué tiene de raro? Es posible que sea interesante y brillante, si es eso a lo que llamas ser raro. Bueno, quédate con la mediocridad si te hace sentirte más en casa".

Flora frunció el ceño. No era de temperamento fiero como Jess, pero siempre peleaba como un perro con un hueso, lo sujetaba tozudamente y no lo dejaba escapar. "Bueno, es un poquito solitario, ¿no? Y cómo habla, se cree el señor Darcy. Y tú siempre estás intentando copiarle".

"¡¡NOO intento copiarle!!", estalló Jess. Ben y Mackenzie se mostraron incómodos.

"¿Te gusta el *Grand Theft Auto 3*?", preguntó Mackenzie. Habían pasado a los juegos de ordenador.

Ben se lo pensó durante un minuto. "Sí, pero no está a la altura del, bueno, hum, *Splinter Cell* para la *X-Box*". Seguían con los juegos.

"Bueno, ya que la mayoría de los chicos prefieren hablar como robots", observó Jess, fría como el hielo, "a los que prefieren hablar como el señor Darcy habría que darles una medalla, no tratarlos como idiotas". Se levantó de la tapia y se marchó temblando de rabia.

Odiaba la manera en que Flora siempre se ponía del lado de los chicos. Grabar a las chicas en el cuarto de baño no era una broma divertida, sino una invasión de su intimidad. Pero para Flora estaba bien, había escapado indemne como siempre. Le había protegido el ángel de la guarda que parecía proteger a todas las rubias perfectas con familias ricas también perfectas. Milagrosamente, Flora no había querido hacer pis.

Jess siguió reflexionando en clase de Francés. Se sentó en el extremo opuesto a Flora y, en el cambio de clases, la ignoró y se marchó corriendo. Se imaginó una escena en que la señorita Jessica Jordan detenía su carruaje junto a una casucha cubierta de lodo. Bajaba la ventanilla —o lo que se haga con las ventanas de los carruajes— y miraba con desprecio hacia fuera.

La señorita Flora apareció en la puerta de la casucha, con la cabeza gacha de la vergüenza y las ropas andrajosas. "¡Perdóneme, estimada señorita Jordan!", imploró arrojándose sobre la tierra. "Estaba terriblemente equivocada. Sir Frederick es un hombre ejemplar. Fui inducida a error por los comentarios de otros caballeros. ¡Perdóneme, se lo suplico!".

"No se humille tanto", observó la señorita Jordan secamente. "No es apropiado. Aquí tiene un soberano. Ruego vaya a los baños a adecentar su aspecto y adquiera un atuendo modesto pero adecuado. Antoine, ¡en marcha, por favor!". Tiró la moneda al suelo. El carruaje de la señorita Jordan rodó hacia la lejanía. Mientras, la señorita Flora escarbaba en la nube de polvo para encontrar el soberano.

La clase de Geografía era particularmente aburrida. Estaban estudiando los yacimientos de carbón de Pittsburg. Esto solo hizo aumentar el mal humor de Jess. ¿Por qué, con todo el ancho mundo a su disposición, los profesores de Geografía siempre elegían hablar de los yacimientos de carbón y de las zonas pantanosas? ¿Por qué no hablaban de las selvas tropicales llenas de monos, o de las islas de los Mares del Sur, con playas de arena deslumbrante y cocoteros? Se suponía que

Jess estaba elaborando una lista de los yacimientos de carbón en Norteamérica: una actividad tan aburrida como lo sería una alternativa a las pastillas para dormir que no recurriese a la química. En vez de eso, redactó una lista de razones por las que odiaba a Flora:

1. Muy guapa y sin zonas de grasa: delgada y tetas grandes (¡qué injusto!).
2. Muy rica.
3. Muy inteligente: sobresaliente en todas las asignaturas.
4. Madre también escandalosamente guapa: probablemente se ha hecho un lifting.
5. Padres no divorciados, sino que parecen felizmente casados (¿extraterrestres, tal vez?).
6. Padre rico y poderoso. Nunca le gritaría a su coche, y es un Mercedes.
7. Su coche nunca se estropearía (leer más arriba).
8. Varios cuartos de baño, todos con grifos dorados.
9. Tienes que quitarte los zapatos para entrar en su casa como si se tratase de una mezquita.
10. Todos los chicos la miran y babean como perros enormes mirando un hueso.

En este punto, el señor Chapman, inesperadamente, pidió a Jess que leyera su lista de yacimientos de carbón.

Después del castigo, Jess salió del colegio con la mayor de las depresiones sobre sus hombros, como si llevara un abrigo de plomo. Pero ahí, esperándola, estaban Flora y Jodie Gordon, la reina de los granos del vídeo casero.

"¡Jess!" gritó Flora, "¡Lo siento tanto! ¡He sido una imbécil! ¡Odio cuando discutimos! Te he traído una tableta de chocolate y una pepsi, y si quieres, te regalo mi top de rayas, ese negro y dorado que te gusta. ¡Por favor, perdóname!". De acuerdo, no se estaba arrastrando humillada por el fango, pero era una hermosa disculpa. Y Jess se moría de hambre.

Se abrazaron la una a la otra y se dedicaron a comer chocolate. Jess no estaba segura de lo que pintaba Jodie allí. Pero resultó ser una aliada.

"Yo también estaba en el vídeo", dijo. "Se lo estaba contando ahora a Flora. Entré allí y me estuve explotando los granos durante horas. ¡Si se lo enseñasen a todo el mundo me moriría! ¡ Los chicos son unos cerdos y nunca deberíamos separarnos por su culpa!".

"Sí, ¡los chicos son el enemigo!", dijo Flora. Jess pensó en todos los buenos momentos que Flora y ella habían pasado juntas desde que se conocieron años atrás. Jodie tenía razón. Era una locura que las amistades de las chicas se arruinasen por culpa de seres de Marte.

Las tres se marcharon cogidas del brazo. No hay nada como el chocolate para animarte. "¡Los chicos son animales!", dijo Jodie. Su madre también era feminista.

"Sí", dijo Jess. "Para empezar, Carter es un elefante. Aunque eso es poco considerado para con los elefantes. Y Whizzer es un gorila, aunque le falta su cociente intelectual".

"¿Y Ben Jones?", le preguntó Flora, tomándole el pelo.

Jess apretó los dientes. "Me recuerda a cierto tipo de camello", dijo sin miedo. "Y Mackenzie, es uno de esos monos que salen por la noche. Con caras muy simpáticas y pelo rizado, pero capaces de morder ferozmente".

Flora pareció aliviada. Parecía que su novio había salido bien parado. "¿Y qué hay de Jack?", preguntó Jodie.

Jess pensó en el hermano de Tiffany. El que había tenido la idea de colocar la cámara de vídeo en el cuarto de baño. "Es una tarántula venenosa, vil y repelente", dijo Jess. "Incluso tiene una piernas peludas y oscuras; se las vi el verano pasado en la piscina. Parecía que solo tenía dos, pero apostaría a que las otras seis estaban escondidas debajo del bañador".

"¿Y el señor Chapman?".

“Un burro”. De hecho, el profesor de Geografía tenía pelo gris, aspecto cansado y una risa muy fuerte y extraña.

“¿Y mi padre?”, preguntó Flora.

Jess tuvo cuidado aquí. “Tu padre es el rey de las bestias”, dijo Jess diplomáticamente. “El león, por supuesto”.

“¿Y el tuyo?”.

Jess pensó con cariño en su progenitor: su nerviosismo, sus piernas flacas y largas, su mirada asustada, su afición por el pescado. “Mi padre es una garza”.

“¿Y qué hay de Fred?”, preguntó Jodie.

Jess pensó en Fred: su extraño comportamiento solitario, su sabiduría, su adicción a los vídeos violentos. “Fred es un búho”, dijo. “Me lo puedo imaginar decapitando ratas cada noche. De hecho, teniendo en cuenta lo que sabemos, es a eso precisamente a lo que dedica su tiempo libre”.

Unos minutos más tarde, Jodie Gordon se despidió y giró por la calle que la llevaba a su casa. Tuvo suerte, ya que se encontró con un chico llamado Guy, que le gustaba un montón. Pasearon juntos a través de Finchfield Drive, y Jodie le contó, entre otras cosas, que Jess había dicho que Fred era como un búho. Esa misma tarde Guy se lo contó a Tom Wilkins (por e-mail), que se lo contó a Dave Sherman (en un chat), que se lo contó a Henry Twerton, que se lo contó a todos los demás en el colegio, al día siguiente. Incluido Fred.

Mientras circulaban los rumores sobre los parecidos con animales, Jess estaba acurrucada en el sofá con Flora, viendo la MTV y comiendo pizza. ¡Eso era vida!

"Estoy tan contenta de que volvamos a ser amigas, Jess. No podría arreglármelas sin ti", dijo Flora. "Y es estupendo que Ben y tú estéis saliendo".

"No lo estamos", dijo Jess.

"¡Pero te pidió que fueses a tomar algo con él!", insistió Flora. "¡Y estuvisteis en el burger! Y vinisteis juntos a la fiesta del vídeo".

"Eso no significa nada", dijo Jess. "Creo que pasa tiempo conmigo porque Mackenzie ha estado mucho contigo estos últimos días".

"¡No!", dijo Flora. "Está loco por ti, cualquiera puede verlo. Solo es un poco tímido. Lo que necesita es encontrar el momento adecuado. Probablemente le dé corte hacer un movimiento en público. Seguramente está esperando a estar contigo a solas, sin que haya gente alrededor".

Jess se preguntó si esto sería verdad. Ciertamente, esperaba que fuera así. Esa noche, en la cama, Jess disfrutó de una maravillosa fantasía en la que Ben Jones alquilaba un globo y flotaba con ella sobre el campo en total y perfecta paz e intimidad. Esperaba que a Dios no le importase. Aunque ahora que sabía que había sido Fred quien la había rescatado, había vuelto a estar indecisa sobre si creía o no en Dios. De una cosa estaba segura: creía en Fred. Era su ángel de la guarda. O algo parecido. ¡Benditos mechones desgreñados!

15.
VIRGO: TU ÁNGEL DE LA GUARDA PERDERÁ EL GUION Y TE CONCEDERÁ OJOS RUBIOS Y CABELLOS AZULES

Algunos días más tarde, después de clase de Lengua, Fred se acercó sigilosamente hasta donde estaba Jess. El aula estaba vacía, porque el señor Fothergill se había marchado con su paso lento y pesado a realizar algún tipo de acto grosero en la intimidad de la sala de profesores, posiblemente relacionado con la tetera y la leche en polvo. El resto de la clase también se había evaporado con rapidez. Flora y Mackenzie habían salido corriendo en busca de un lugar privado donde pudieran admirarse mutuamente las pestañas y los lóbulos de las orejas. Ben se había marchado a un entrenamiento de fútbol. Solo quedaba Jess allí, porque todavía no había terminado su redacción sobre los momentos oscuros en *Noche de reyes*. “Aunque *Noche de reyes* es una comedia", había anunciado el señor Fothergill, "tiene sus momentos oscuros. Como la vida. ¡Ja, ja, ja!".

"Ehhh..., ¿podrías hacerme un favor?", le dijo Fred.

"¿Un favor? ¿Después de lo que hiciste tú por mí? ¡Lo que sea! Solo espero que incluya suficiente dolor y muchos inconvenientes".

"Desde luego", dijo Fred. "De lo contrario no me merecería la pena pedírtelo".

"De acuerdo. Entonces, revela mi tormento", sonrió Jess. Fred se sentó en la mesa de al lado y jugueteó con algunos mechones de su pelo. "Por cierto, me encantaría que te cortases el pelo", dijo Jess.

"Ya, ya", suspiró Fred. "Estoy esperando el momento adecuado. Total, la cuestión es que mañana es el cumpleaños de mi madre".

"¡Ah! ¡Tu madre me encanta! ¡Es increíblemente maja conmigo!".

"Sí, bueno...". Fred frunció el ceño un poco. "Es que no sé qué regalarle. ¿Podrías comprarle tú alguna pequeña muestra de mi afecto, algo femenino, posiblemente adornado con encaje y flores? Si alguien me viese comprando algo así, acabaría con mi reputación". Sacó un billete arrugado de veinte libras del bolsillo. "Sé espléndida", dijo. "Y...". Dudó y se sonrojó levemente.

Jess estaba intrigada. ¿Qué iba a decirle ahora? ¿Haría una discreta referencia a la lencería?

"Bueno, vamos a organizar una pequeña merienda mañana a las seis para celebrar el cumpleaños, y mi madre me ha dicho que podía llevar a un amigo, siempre y cuando fueses tú. Siento imponerte semejante pesadilla, pero hará feliz a la vieja". Se encogió de hombros y miró a Jess, con la cabeza ladeada y los ojos brillantes.

"¡No será ninguna pesadilla, cenizo! ¡Será fantástico!", gritó Jess. "¡Tu madre me cae genial! ¡Allí estaré, con un regalo glamouroso bajo el brazo!".

"Vale y, bueno, no se lo digas a nadie, ¿vale?". Fred se levantó. "Ni siquiera a Flora. Se lo diría a Mackenzie y... no quiero que lo sepa nadie".

"¡Claro!", dijo Jess. Realmente le apetecía ir. Se había sentido muy feliz en casa de Fred. Y ya estaba planeando comprarle a su madre algo espectacular. ¡Veinte libras! Fred tenía que haber estado ahorrando, o a lo mejor había roto su hucha, porque era famoso por estar siempre sin blanca.

"Tengo que irme al club de ajedrez". Fred se dirigió a la puerta y durante unos segundos imitó a un chimpancé, antes de desaparecer emitiendo un pequeño chillido. Jess volvió a su redacción sobre "Momentos oscuros". La luz del sol invadía el aula. Por una vez, su vida no le parecía sombría. Había salido airosa del suplicio del vídeo casero, y ahora las cosas parecían fluir agradablemente. ¡La madre de Fred la había invitado a su fiesta de cumpleaños! ¡Qué increíblemente cariñosa! Jess esperaba que hubiese tarta de chocolate.

Al día siguiente, no le resultó un problema guardar el secreto.

"¿Hacemos algo después del colegio?", le preguntó Flora en el recreo.

"No, tengo que irme zumbando a casa", contestó Jess. "Mi madre está en una conferencia para bibliotecarios en Oxford y no volverá hasta tarde. Así que tengo que irme a casa y mantener a mi abuela en orden. Si no, podría escaparse y correrse una juerga atracando a hombres jóvenes". Esto era en parte cierto. Su madre sí estaba en una conferencia, y le había pedido que vigilase a la abuela después del colegio. Pero Jess calculaba que, además, tendría tiempo para comprarle a la madre de Fred un regalo glamouroso y llegar al cumpleaños.

Jess no le mencionó a Flora la fiesta de la madre de Fred. Aunque Fred no se lo hubiese pedido, tampoco se lo hubiese contado. Si Flora supiese que había compras de regalos de por medio, habría boicoteado el asunto y, posiblemente, se hubiese pegado a ella de tal manera que habría terminado por ser invitada a la fiesta. Entonces, en cuestión de segundos, Flora fascinaría a la madre de Fred y reemplazaría a Jess en el corazón de esa adorable mujer.

"Yo también tengo que irme directamente a casa", suspiró Flora. "Mi padre está siendo muy duro conmigo por lo de Mackenzie. Cualquiera pensaría que Mac es un traficante de drogas o algo así, en vez de un animalito peludo". Jess preferiría que Flora se guardase para sí los detalles de su vida amorosa, a pesar de que fue Jess la primera en comparar a Mackenzie con un animal peludo.

La mañana en el colegio pasó sin incidencias. Jess estaba en una nube, intentando decidir si le compraría a la madre de Fred artículos para el baño, de la que parecía ser su fragancia favorita, un perfume o unos pendientes fabulosos. Tenía dos horas y media después del colegio para llegar a su casa, asegurarse de que su abuela estuviese bien, ir corriendo al centro en autobús, y saquear las tiendas y pequeñas boutiques elegantes. ¡Qué tarde tan maravillosa! Posiblemente la mejor del año. Nada sobre la Tierra podría estropearlo, ¿verdad?

16.
VIRGO: TU ARMARIO ABRIRÁS Y A MARILYN MANSON POSANDO VERÁS

El timbre sonó para indicar que la jornada escolar había acabado, y Jess salió del edificio corriendo como una atleta ante su última oportunidad para ganar una medalla de oro olímpica. Corrió hacia casa. Dedicaría diez segundos a atender a su abuela: se aseguraría de que tuviera sus gafas, su audífono, el mando de la tele, un montón de comida y una novela policíaca llena de asesinatos. Después, Jess podría cambiarse rápidamente (otros diez segundos, no, puede que veinte) y salir corriendo hacia el centro de la ciudad para comprar frenéticamente durante una hora. Le compraría a la madre de Fred el mejor regalo del mundo (sin contar un cachorro de carne y hueso).

Sin embargo, cuando Jess llegó a casa y empujó la puerta principal, vio algo extraño. El suelo del vestíbulo parecía que brillaba y se movía. ¡Dios mío, estaba cubierto de agua! Rápidamente, Jess se quitó los zapatos y los calcetines. En alguna parte de la cocina, sonaba como una cascada. "¿Abuela?", llamó Jess, chapoteando a lo largo del vestíbulo. "¿Abuela?" No hubo respuestas. A Jess el corazón le dio un vuelco.

Llegó a la cocina. Uno de los grifos estaba abierto: se había desbordado la pila y el agua continuaba saliendo, formando una cortina que caía al suelo. Afortunadamente, la abuela no estaba tirada en el suelo, ahogada. Jess había escuchado en alguna parte que te podías ahogar en cinco centímetros de agua, si tenías muy mala suerte (o querías ahogarte). Cerró el grifo y el sonido de cataratas empezó a remitir y a parecerse un poco menos al del Niágara.

"¡Abuela!", llamó Jess, chapoteando camino del dormitorio de la abuela. Un miedo incontrolable empezó a crecer en su interior. A lo mejor, la abuela había abierto el grifo, se había sentido enferma, se había sentado, y había muerto en la silla. Estaría todavía allí, como una estatua de cera, con los ojos horriblemente abiertos. Sería propio de ella morirse de una manera macabra. Jess echó un vistazo en el dormitorio de la abuela. Estaba vacío, pero la piscina de agua en el suelo le llegaba hasta los tobillos. El patrón de la labor de punto de la abuela estaba flotando. Pero ¿dónde podía estar ella? ¿Había subido al piso de arriba para escapar del creciente nivel de agua?

"¡Abuela! ¡Abuela!", vociferó Jess, corriendo escaleras arriba. Nada. Tampoco estaba allí. "¿Dónde está la abuela, Rasputín? ¡Dime! ¿La has visto?", gritó Jess. Rasputín parecía conmocionado e inocente. Jess se detuvo unos segundos, la cabeza le daba vueltas.

¡Menudo desastre! Su madre la había hecho responsable y, de alguna manera, había perdido a la abuela e inundado la casa. ¿Qué debía hacer? ¿Debería llamar a la policía o estaba exagerando? ¿Y qué pasaría si la abuela únicamente había decidido darse un paseo? La policía se enfadaría terriblemente. Aunque salir sola de paseo, no era para nada algo que haría la abuela de Jess.

De repente, sonó el teléfono. Jess lo cogió rápidamente en el estudio de su madre.

"¿Jess? Soy la señora Philips, de la casa de al lado. Tu abuela está aquí con nosotros. Se le cerró la puerta hace un rato y no podía entrar en la casa, así que se vino aquí hasta que tú llegaras del colegio".

"¿Está bien?", preguntó Jess.

"Sí, estupendamente. La llevaremos para allá ahora". Jess colgó, bajó las escaleras y chapoteó hasta la puerta principal. La inundación había remitido un poco, pero todavía era un caos total.

Abrió la puerta justo cuando la abuela subía por la calle, acompañada por la señora Phillips y algunos de sus irritantes hijos. "¡Aquí estamos!" dijo exultante la señora Phillips.

La abuela parecía avergonzada. "¡Vino una ráfaga de aire y se cerró la puerta principal! ¿Cómo puedo haber sido tan tonta?". Movió la cabeza de un lado a otro con incredulidad. "Solo salí a tirar una cosa al contenedor". Entonces la abuela reparó en la inundación del vestíbulo. "¡Recórcholis!", gritó alarmada (este era su taco de emergencia). "¿Qué ha pasado?".

"¿Podemos chapotear en el agua? ¿ Podemos?", gritaron los insoportables niños de los Phillips. "¡Mamá! ¿Puedo ir a coger mi bote? ¿Podemos traer el pato de Laura?", chillaron.

"¡No, no! ¡Callaos y estaos quietos!". La señora Phillips siempre sonreía estúpidamente cuando sus hijos se portaban como vándalos. Jess los había cuidado una vez y le habían lanzado una jirafa y habían meneado sus culos desnudos delante de ella. Nunca más. "¡Ay! ¡Me encantaría poder ayudar! Pero tengo que cambiar a Archie", dijo la señora Phillips, señalando al apestoso bebé, "y Arabella se despertará de la siesta en cualquier momento".

"Podemos arreglárnoslas solas", dijo Jess con firmeza. "Espera aquí, abuela. Voy a buscarte unas botas de agua".

"¿Se ha roto una cañería de agua o algo parecido? ¿Crees que deberías avisar a un fontanero?", preguntó la señora Phillips, intentando sujetar a su revoltosa tribu.

"No, ha sido solo un grifo abierto", dijo Jess, volviendo con las botas de agua, que, al estar entre un montón de cosas en una estantería, habían sobrevivido a la inundación.

"¡Oh, no!", exclamó su abuela. "¡Ahora me acuerdo! ¡Iba a ponerme a fregar! Abrí el grifo, salí un momentito a sacar la basura al contenedor, vino una ráfaga de viento y la puerta se cerró".

"No pasa nada, abuela, lo recogeré todo en un minuto", insistió Jess, ayudándola a ponerse las botas de agua.

"Bueno, ¡buena suerte!", dijo la señora Phillips. La abuela de Jess le agradeció que le hubiese proporcionado alojamiento de emergencia, pero pareció aliviada cuando, a pesar de los gritos de desilusión de los niños, el clan Phillips se alejó por el camino.

Jess agarró a su abuela del brazo, porque el suelo del vestíbulo estaba muy resbaladizo, incluso con botas de agua. "Cariño, esos niños son una absoluta pesadilla", le confió su abuela. "Me temo que ha habido momentos en los que me he planteado el infanticidio. ¡Ay! ¡Mis pobres alfombras! ¡Las compré en 1973 en Lake Distric, ya sabes, en esa zona donde hay tantos lagos!".

"Entonces tendrían que sentirse como en casa", bromeó Jess. Pero, por una vez, su abuela no se rio. Simplemente se quedó allí sentada, algo pálida y afligida. Jess decidió poner el vídeo de *Pulp Fiction.* Eso animaría a su abuela.

Parecía que la electricidad no estaba afectada; puede que los enchufes estuvieran demasiado altos como para estropearse, o algo por el estilo. En cualquier caso, al poco tiempo, Jess consiguió calmar a su abuela con una taza de té, un sándwich de pan tostado y la imagen de John Travolta empuñando un arma cargada.

Entonces, Jess se dedicó a la ingente tarea de recoger el agua. Primero abrió la puerta trasera y, con ayuda de la escoba, sacó toda la que pudo del suelo de la cocina. Esta zona iba a ser fácil, porque había baldosas. Luego abrió la puerta delantera para sacar el agua del vestíbulo. Después, inició la rutina de cubo-y-fregona, empezando por el cuarto de su abuela. Cogió las dos alfombras sagradas de Lake District y las tendió en el jardín trasero.

La moqueta de la abuela estaba todavía calada. Jess corrió escaleras arriba y cogió una pila de toallas secas. Pasarlas por el suelo de la abuela fue un buen truco, porque al rato la moqueta estaba más húmeda que mojada. "¡Cariño, Dios te bendiga, qué buena chica eres!", exclamó su abuela, dejando de prestar atención a su adorada película sangrienta durante un segundo. Jess volvió a la cocina y terminó de fregar el suelo, y de allí, pasó a la entrada.

Iba por la mitad del pasillo, cuando sonó el timbre. ¿Y ahora qué? Si eran esos desgraciados niños de al lado, les soltaría unos berridos. Abrió la puerta con la boca abierta y el ceño fruncido, por si acaso. Pero no eran los niños de los Phillips, sino Ben Jones con una bolsa de deportes y un vídeo en la mano. Contempló el panorama: Jess con cara de enfado, mojada, desaliñada, descalza y blandiendo una fregona sucia. "¿Estás bien?", preguntó.

"Hemos tenido una inundación", le explicó Jess. "Estoy bien, estoy acabando de arreglarlo".

"Tengo que irme al entrenamiento de fútbol", dijo Ben con torpeza, "si no te echaría una mano".

"No pasa nada, casi estoy terminando", aseguró Jess.

"Me he pasado para prestarte este vídeo", Ben se lo dio. "*El exterminador III* ¿Te hablé de él? ¿El de los insectos con, ya sabes, antenas que disparan rayos mortales?".

"¡Sí!". Jess recordó algo de la conversación en el burger. "¡Genial!", dijo. "¡Gracias!". Hubiera sido inoportuno por su parte mencionar cuánto odiaba los insectos. Y los rayos mortales, la verdad sea dicha.

De pronto, sonó el móvil de Ben. "Hola, ¿sí?", dijo. "Claro, estoy de camino. Estoy en casa de Jess Jordan, llegaré en cinco minutos... De acuerdo, de acuerdo. ¡No hace falta ponerse así!". Colgó. "Whizzer, enfadado porque llego tarde". Movió la cabeza de un lado a otro y sonrió. "Tengo que marcharme. Disfruta la peli. Y... buena suerte con el..., ya sabes". Señaló el suelo mojado de la entrada mientras se marchaba. ¡Ay! ¿Había tenido ella alguna vez peor pinta?

Jess corrió hasta el espejo del baño de la planta baja. Parecía una nutria de mar espantosa que acababa de dar diez vueltas alrededor de una ballena asesina. Ahora no le iba a gustar jamás a Ben Jones. De hecho, no creía que pudiera gustarle a nadie. Excepto, a lo mejor, a algún pescador excéntrico de las Hébridas. Jess se preguntaba dónde estarían las Hébridas, porque podía decidir mudarse allí e iniciar una nueva vida ahora que la vieja parecía haber alcanzado un punto muerto definitivo.

Jess suspiró y llevó el vídeo de Ben a la estantería del salón. "¿Cariño, quién era?", preguntó su abuela.

"Un amigo que me ha prestado un vídeo, abuela".

"¿Ese chico que te gusta que siempre te está prestando vídeos? ¿Cómo se llama? ¿Fred?".

"¡Dios mío! ¡Fred!", gritó Jess. "¡Lo había olvidado por completo! Tenía que ir al cumpleaños de su madre! ¿Qué hora es?".

Su abuela echó una mirada a su reloj con pasmosa lentitud. "Las siete menos veinte, cariño", anunció finalmente. ¿Las siete menos veinte? ¡Ya llegaba cuarenta minutos tarde! Jess corrió escaleras arriba, no tanto para arreglarse, ya que era demasiado tarde para eso, como para tener un ataque de nervios en privado.

Una vez arriba, Jess irrumpió en el estudio de su madre y dudó frente al teléfono. ¡No había comprado el regalo! ¡No había llamado para decir que llegaba tarde! Estaba empapada y sucia, necesitaba como mínimo media hora para estar decente. Necesitaba una ducha, ropa limpia, lavarse el pelo, secárselo...

Jess se enfrentó a la cruda realidad. No había manera de que llegara al cumpleaños de la madre de Fred.

La había fastidiado total y absolutamente. Lo único que podía hacer era llamar y explicarse. Cogió el teléfono. Entonces dudó. Parecía una excusa absurda.

"Mi abuela dejó el grifo abierto, tuve que recoger un poco de agua". *¡Por amor de Dios, consígueme otra vida!*, pensó. O por lo menos una excusa *creíble*. Jess se sintió enferma de terror. Enferma, enferma, enferma.

¡Eso era! ¡Diría que estaba enferma! Rápidamente marcó el número de Fred. Su corazón latía a más de mil por hora, sentía que le iba a estallar.

"¿Sí?" dijo una voz. Era la de Fred.

"¡Fred, lo siento tanto!", murmuró Jess. "He estado realmente enferma. He estado vomitando sin parar desde que llegué a casa. He estado como horas tirada en el suelo del cuarto de baño junto a la taza. Ni siquiera podía ir hasta el teléfono".

Se escuchó un silencio al otro lado de la línea. Jess se moría de vergüenza. Su historia había sonado claramente como una mentira transparente. "Oh, bueno", dijo Fred con bastante frialdad. "No importa. Empezaremos sin ti". Así que la habían estado esperando. ¡No! Habrían estado todos sentados, sintiéndose incómodos y mirando la hora. "Fred, lo siento muchísimo!", Jess estaba ahora al borde de las lágrimas. "Y ni siquiera tienes el regalo de tu madre. Te he dejado tirado. ¡Cómo lo siento!".

"No pasa nada", dijo Fred. "No te preocupes. Recupérate pronto". Pero sonaba herido. Normalmente, Fred nunca usaría dos o tres palabras cuando podían usarse al menos cien.

"Espero que tengáis una fiesta estupenda", dijo Jess desolada. ¡Cómo le hubiese gustado estar allí!

"Seguro. De acuerdo. Adiós". Fred colgó y su voz fue reemplazada por un horrible zumbido.

Jess corrió a su cuarto y se tiró boca abajo sobre la cama. "¡Rasputín! ¡La he fastidiado completamente!", lloró. "¡He dejado tirado a Fred de la peor manera posible! ¡He arruinado el cumpleaños de su madre! ¡Y está frío conmigo y se siente herido!".

Rasputín parecía sorprendido, pero le acarició las mejillas con sus patas aterciopeladas. "Llora sobre mi hombro, querida, soy todo tuyo", parecía decir. "Después de todo, para eso estamos los osos".

Jess rompió a llorar a mares, cogió a Rasputín y lloró, lloró, lloró, lloró, lloró, lloró, lloró, lloró. Y lloró. Amargamente. Y después lloró algo más. Después, tuvo que poner a Rasputín en un radiador, donde se coció ligeramente durante un tiempo.

17. VIRGO: TU OSITO DE PELUCHE ANUNCIARÁ SU EMBARAZO Y NECESITARÁ ASESORAMIENTO

Más tarde, esa misma noche, la madre de Jess volvió de Oxford, y la abuela narró entusiasmada cómo Jess había luchado heroicamente contra la inundación. Su madre entró en el cuarto de Jess para decirle lo contenta que estaba con ella. Era evidente que Jess había estado llorando.

"Mi amor, ¿qué te pasa?", preguntó su madre dulcemente.

Jess se encogió de hombros. "Nada", dijo. "Estaba un poco disgustada por todo lo que ha pasado".

"¡Has estado genial!", le dijo su madre, dándole un abrazo. "¡Este fin de semana te llevaré al centro e iremos de compras!".

Jess debería haber estado agradecida. Sabía que su madre odiaba ir de compras solo un poco menos de lo que odiaba la guerra. Pero Jess no podía pensar más que en lo que iba a pasar mañana en el colegio. ¿Cómo demonios iba a poder algún día congraciarse con Fred? ¿Y por qué había dicho esa estúpida mentira de que estaba enferma? Quería contárselo a su madre, pero sabía que si lo hacía, querría solucionarlo ella. Su madre podría llegar, incluso, a llamar a la de Fred y hablar largamente con ella sobre el asunto. A Jess le aterraba la idea de que su madre todavía intentara organizar su vida social. Este era su problema, y lo solucionaría sola. Si es que tenía solución.

Fred no la había gritado. Estaba demasiado furioso como para eso. Le había dicho un par de palabras educadas y había colgado. Estaba desesperada por verlo. Solo tenía que disculparse, explicárselo y pensar en cómo se lo podría compensar. Hasta que no hubiese hecho las paces con él, sería incapaz de pensar en otra cosa.

Las clases de la mañana eran de Ciencias y de Matemáticas, lo que hacía más angustiosa la situación de Jess. Estaban en grupos diferentes en Matemáticas y, cómo todavía no había visto a Fred, tendría que esperar hasta la hora de comer para tratar de localizarlo en la biblioteca. Habitualmente, la biblioteca era un refugio agradable: cálida en invierno y fresca en verano. También era bastante oscura. Los granos no se veían tanto. Tenía un olor peculiar a libros, no como el gimnasio, por ejemplo, que apestaba a calzoncillos sudados.

La señora Forsyth estaba a cargo de la biblioteca y, madre mía, sí que era severa. La regla de *no comer ni hablar* se debía seguir a rajatabla. Pasar media hora en una atmósfera tan estricta se convirtió en una especie de juego secreto. Intentar comer sin ser visto era uno de los mayores retos, especialmente patatas o galletitas saladas. En primer lugar, tenías que acumular un montón de saliva; después, debías meterte la patata en la boca, mientras aparentabas rascarte la nariz, y ahogarla en saliva durante un minuto antes de atreverte a masticar.

Solo se podía masticar si la señora Forsyth no te estaba mirando directamente, porque tenía la vista de un águila y captaba los sonidos como un satélite espía. Podía oír a la gente comiendo patatas en China. El mayor triunfo de Jess había sido abrir una botella de pepsi por debajo de la mesa, mientras Fred tapaba el ruido de *FFFFFFophphphstttt* con un espectacular ataque de tos mortal. Fred y Jess habían compartido allí algunas estupendas comidas ilegales. Pero ¿lo volverían a hacer alguna vez?

Cuando sonó el timbre a la hora de la comida, Flora apareció. "Les he dicho a Mackenzie y a B.J. que nos encontraríamos en la galería del gimnasio", dijo. "¿Qué tal te va con Ben? Whizzer dice que estuvo en tu casa ayer, y que por eso llegó tarde al entrenamiento de fútbol. Así que, ¿dime qué está pasando entre vosotros?", sonrió Flora como una idiota. Pero Jess no quería contarle nada. Revelar lo desastrosa que había sido la tarde anterior, hubiese sido como revivirla. Prefería atormentar a Flora no explicándole nada.

"Vino para prestarme un vídeo", declaró. "Nada en especial".

La expresión de Flora cambió. Jess pudo leer la decepción en su rostro. "Vamos a la galería del gimnasio", dijo Flora precipitadamente, "nos estarán esperando".

La galería del gimnasio ofrecía poco por lo que mereciera la pena ir. Abajo, en el gimnasio, habría algunos deportistas vanidosos trabajando sus abdominales y sacando brillo a sus pectorales. Mientras, las hordas de fans en la galería les estarían mirando pasmadas, con la baba caída, chicas cuyos cerebros habían sido reemplazados por nubes de caramelo. Jess le dijo a Flora que prefería convertirse en galletas para perros y alimentar a un viejo pastor alemán con exceso de saliva que pasar cinco minutos en la galería del gimnasio.

Sin embargo, a Jess le venía bien que Flora se fuese para allá. Quería estar sola cuando intentase encontrar a Fred en la biblioteca y se disculpase. Si no se lo encontraba, por lo menos le serviría de terapia estar allí. Jess podía buscar algún libro con desnudos masculinos y pintar caras espantosas en sus órganos sexuales. Uno de sus favoritos era uno de biología que tenía una página en la que ponía: *Cambios físicos en la pubertad.*

Mostraba lo que parecía ser un grupo familiar: una niña de unos diez años, una chica de unos quince, una mujer de unos treinta, y dos chicos y un hombre de edades similares a las de ellas. Al estar todos completamente desnudos, había algo embarazoso en la manera en que se encontraban alineados con los órganos sexuales colgando: era como si estuvieran haciendo cola en la caja de un supermercado en un sitio nudista de veraneo. Jess había rescatado a las chicas y a la mujer dibujándoles unos bonitos biquinis negros, pero hizo que los chicos y el hombre parecieran todavía más idiotas coloreando sus órganos sexuales con rotuladores fosforescentes de colores vivos y adornándolos con extraños pelos, verrugas y telas de araña.

Jess entró en la biblioteca, y su corazón dio un salto cuando localizó a Fred en su sitio habitual. Fue directa hasta su mesa. Se sentaría y le escribiría una nota diciendo: *Por favor, sal fuera un momento para que te pueda expresar mi enorme arrepentimiento por lo de ayer.* Pero entonces ocurrió algo terrible. Fred, que había levantado la vista cuando ella había entrado, se levantó, colocó en su sitio el libro que había estado leyendo y salió de la biblioteca, pasando por su lado, sin tan siquiera mirarla. La ignoró completamente.

De pronto, Jess tuvo plena conciencia de que la gente la estaba mirando. Intentó ocultar su congoja lo mejor que pudo. Actuó como si no hubiese pasado nada. Eligió un sitio cerca de donde él había estado sentado, aparentó estar buscando algo en las estanterías y eligió un libro al azar. Lo abrió, lo empezó a mirar fijamente y destapó su bolígrafo como si pensase coger notas. Pero durante todo el tiempo estaba rezando: *por favor, por favor, haz que deje de estar enfadado conmigo.* Pero ¿estaba Dios escuchando? ¿O se estaba relajando en el sofá y tenía el contestador automático conectado?

A lo mejor podía escribirle una carta a Fred, implorando su perdón y ofreciéndose como esclava de por vida si la perdonaba. Encontró un trozo de papel, pero no escribió *Querido Fred* por si acaso alguien lo veía. De pronto, se abrieron las puertas de la biblioteca. Jess rezó para que fuese Fred. Pero solo era Jodie Gordon.

Jodie se sentó cerca de Jess y eligió un libro de Historia. Sacó su cuaderno de apuntes y escribió: *¿Quién estuvo ayer jugueteando con el dios del amor Ben Jones después de clase?*

¡Yo estuve cuidando de mi abuela!, escribió Jess furiosamente.

Whizzer dice que Ben llegó tarde al fútbol porque estuvo en tu casa, escribió Jodie con una mirada lasciva particularmente estúpida.

¡Madre mía! Parecía que ese ridículo rumor sobre que Ben Jones había estado en su casa se había extendido por todo el colegio. Tenía que ver a Fred y aclarárselo todo. Había dejado su mochila en la silla, así que a lo mejor regresaba en un momento. Las puertas de la biblioteca se abrieron de nuevo. A Jess le dio un vuelco el corazón. ¿Era Fred? No, ¡era Ben Jones! ¡Y venía directamente hacia ella! Jodie le guiñó un ojo a Jess. Y esta se quedó paralizada.

Había estado tan ocupada sintiéndose atormentada por el asunto de Fred, que apenas le había dedicado un instante a Ben Jones desde que se marchara ayer por la noche de su casa. Hoy estaba particularmente guapo. Llevaba el pelo hacia arriba con mucho estilo y sus deportivas hacían un ruido de lo más chic cada vez que daba un paso. Se sentó en la mesa de Jess, la miró directamente a los ojos y sonrió.

Jess se sentía fatal. En circunstancias normales, le hubiera entusiasmado que Ben se sentase a su lado, pero ahora ¿y si Fred volvía? Si Fred había oído el rumor de que Ben Jones había estado en su casa la noche anterior, verlos ahora juntos solo lo confirmaría. Y Jess sabía que cuando le había contado a Fred aquella mentira sobre su enfermedad, había parecido una mentira. Su voz había sonado falsa y metálica. Jodie sonreía bobaliconamente, y Jess estuvo tentada de buscar el diccionario más pesado y atizarla con él en la cabeza.

Jess levantó una ceja como saludo, procurando hacerlo de forma irónica, y volvió a su libro. No tenía ni idea de qué iba, y desde que Ben Jones había entrado, ni siquiera estaba segura de que fuera un libro. Tenía que salir de allí y alejarse de Ben, o Fred volvería y pensaría lo peor.

Ben Jones se estiró para alcanzar el cuaderno y el bolígrafo. *Así que es aquí donde te escondes*, escribió. Su caligrafía era extraña: muy pequeña y violentamente inclinada, como si un vendaval hubiese pasado por encima de ella. La única respuesta por parte de Jess fue una sonrisa enigmática.

¿Por qué "arrecifes de coral e islas"? Escribió Ben Jones misteriosamente.

Jess se sorprendió. *¿Quéeé?,* escribió.

Tu libro, escribió él.

Jess miró su libro. Efectivamente, trataba de arrecifes de coral e islas. *Aquí no se viene a leer, imbécil,* escribió, *sino más bien a dejarse ver con un libro.*

No soy un imbécil, escribió Ben Jones. *Según dizen, soy un cameyo.* Jess recordó vagamente haber comparado a varios chicos con animales. Pero, con franqueza, ¿a quién le importaba? Jess tenía cosas mucho más importantes en la cabeza. Aunque estaba todavía un poco trastornada porque Ben no supiese escribir *camello* o, más preocupante todavía, *dicen.*

¿Has visto ya "El exterminador III"?, escribió Ben. Jess tomó una decisión en décimas de segundo. Le contaría a Ben lo de la noche anterior (haberse perdido la fiesta de la madre de Fred). Entonces, le pediría que se marchase para que pudiese arreglar las cosas con Fred a solas.

Sal un momento, tengo que explicarte algo, escribió Jess. Se levantaron y dejaron la mesa. Ben caminaba a su lado. Justo cuando estaban llegando a las puertas, estas se abrieron de golpe y Fred entró. Cuando los vio frente a frente, se estremeció de un modo espantoso, y arqueó las cejas parodiando un saludo cómico. Jess le miró directamente a los ojos, y brillaron como cristal roto. Pasó a su lado hacia la mesa donde Jess había estado sentada. Estaba segura de que había vuelto para arreglar las cosas con ella. Pero, claro, el verla salir junto a Ben Jones puso fin a cualquier plan que tuviese. Jess tenía la horrible sensación de que el lío en que estaba metida iba de mal en peor.

18.
VIRGO: ESTANDO EN CASA DE OTRO, TE AGUANTARÁS LAS GANAS DURANTE MUCHO RATO Y NO LLEGARÁS A TIEMPO AL BAÑO

Sin embargo, antes de que Jess le pudiese decir nada a Ben, aparecieron Flora y Mackenzie. "Serena Jacobs dice que su tío tiene un garaje donde podríamos ensayar", dijo Flora. "Vamos a ir después de clase a ver la localizacion. ¿Queréis venir?" *Localización* formaba parte del nuevo vocabulario de Flora. Era una palabra utilizada en el mundo del cine, y Mackenzie quería ser director. Él nunca decía *sitio* o *lugar,* sino *localización.*

"¿Un garaje? ¡Guay!", dijo Ben, y se volvió hacia Jess. "Jess, ¿vienes, no?".

"No, gracias, no me fío de mí misma cuando estoy cerca de un garaje", dijo. "Estoy intentando dejar ese vicio. En cualquier caso, no puedo ir, tengo montones de cosas que hacer".

De hecho, quitarse de en medio a Flora, a Ben y a Mackenzie era lo más conveniente para los planes de Jess. Saldría pronto del colegio y esperaría a Fred subida en la tapia, donde él la había esperado muchas veces. Y cuando apareciese, se abalanzaría sobre él para disculparse. Sería más o menos así: "Nunca me perdonaré por lo de ayer, pero, por favor, di que tú me perdonas, o, si no, puede que me vaya a la India y me pase el resto de mi vida limpiando las calles de Calcuta con la lengua".

¿O qué tal esta? Se pondría de rodillas y gritaría: "¡Nombra un animal, cualquier animal, y lo imitaré delante de todo el colegio!". Y si, como parecía probable, él murmuraba: "¡Vaca loca!...", bueno, no tendría que esforzarse demasiado, ¿verdad?

Jess esperó en la tapia, pero Fred no apareció. Esperó hasta que todos los autobuses del colegio, cargados con niños diciendo palabrotas y peleándose, se marcharon. ¡Menos mal que vivía cerca del colegio y podía ir andando! Sintió verdadera compasión por los conductores de los autobuses, aunque sospechaba que los más gruñones debían ser agentes de Satanás en la Tierra. Se alegró de que su padre no fuese conductor de autobús, sino un artista lleno de glamour en el lejano Saint Ives. Junto al mar.

Esperó hasta que los últimos rezagados se marcharon jugueteando con sus móviles. Empezó a sentir que llamaba la atención, por lo que sacó su móvil y le mandó un mensaje a Flora: ¿CÓMO ES EL GARAJE? No le podía importar menos, pero algo tenía que hacer.

Le mandó un mensaje a su padre: ¿ESTÁS JUNTO AL MAR O QUÉ?

Le llegó una respuesta inmediata: NO, ESTOY EN LA SALA DE ESPERA DEL MÉDICO.

¡Típico! Vivía junto al mar y estaba malgastando esa estupenda tarde en la consulta de un médico. NADA SERIO, ESPERO.

TENGO UN GRANO EN LA CARA Y ESTOY COMPROBANDO QUE NO ES MALIGNO.

MENUDO PROBLEMA, le contestó Jess. YO TENGO 70 GRANOS EN LA CARA Y SON TODOS MALIGNOS.

Hubo una pausa. Entonces llegó la respuesta: ¡JA, JA, JA! SI ME MUERO POR TENER ESPINILLAS, PUEDES QUEDARTE CON TODOS MIS CUADROS. ¡INTENTA PARECER AGRADECIDA! TE QUIERO MÁS QUE A NADA EN EL MUNDO. Por ahora, este era el mejor momento del día. Los SMS probablemente se inventaron para padres tímidos que nunca podrían decir *te quiero* en voz alta.

Y Fred sin aparecer. ¿Dónde demonios se habría ido? Jess había estado esperándole casi una hora. El problema ahora era renunciar a la espera y volver a casa sin que pareciera que le habían dado un plantón.

No es que hubiese nadie mirando, pero Jess se observaba a sí misma. Suele ocurrir. Así que se puso a mirar fijamente su móvil, como si estuviese esperando un mensaje crucial del tipo: LO SIENTO, NO TE PUEDO RECOGER EN LA PUERTA DEL COLEGIO. TE VEO EN EL RITZ. BESOS, BRAD. O, posiblemente, JUSTIN.

Cuando Jess estaba a punto de levantarse, tal como lo haría alguien a quien acaban de citar en el Ritz, un coche cruzó la verja del colegio, giró a la izquierda y se alejó. Era el coche del profesor de Lengua, el señor Fothergill. Jess lo reconoció al instante, porque era un deportivo amarillo. El señor Fothergill, gordo y sudoroso, estaba intentando adquirir cierto glamour adicional a través de sus ruedas. Jess y Flora llamaban al coche la *banana motorizada.*

Cuando la *banana motorizada* pasó a su lado, Jess vio de repente a Fred, sentado en el asiento del copiloto. Sus ojos estaban perdidos en la lejanía. ¿La estaba ignorando deliberadamente o estaba simplemente distraído? Su perfil, que parecía la cara en una moneda, pasó como un rayo. Se había marchado. ¡Qué misterioso! ¿Por qué estaba en el coche del señor Fothergill? ¿Estarían liados? Puede que, después de todo, Fred fuera gay. Jess casi deseó que fuese verdad, sería muy guay. Si Fred la perdonaba alguna vez, podrían compartir piso, como *Will & Grace.*

Aunque, claro, fugarse con un alumno acabaría con la carrera del señor Fothergill. Y Fred, probablemente, terminaría con un trauma psicológico. Pero era el precio que tenían que pagar a cambio de los cinco días de cobertura frenética en los periódicos y en la televisión, una vez que la historia se descubriese. PROFESOR DE INSTITUTO, GORDO, SE FUGA CON ESTUDIANTE. HAN SIDO VISTOS EN PARÍS. Probablemente irían a París. Después de todo, allí fue donde murió Oscar Wilde. Y la Princesa Diana de Gales. Todos los iconos gay iban allí.

De pronto, Jess recordó que el señor Fothergill tenía una joven y dulce esposa. De todos modos, el que estuviera casado no era una garantía de buen comportamiento. Y las mujercitas dulces eran probablemente las peores de todas. Jess estaba segura de que si ella fuese un profesor de Lengua gordo con una dulce mujercita, se fugaría no solo con uno de sus alumnos, sino probablemente también con sus padres.

"*Fred, señor y señora Parsons, ¡os quiero a todos con locura! He alquilado una suite familiar para nosotros en el Lidia Inn de Acapulco. ¡Adiós, Lucy! ¡Te odio, dulce cosita! ¡Piérdete y téjete un jersey suave con corderos brincando! ¡Después podrás metértelo por tu dulce culito!*".

La imaginación de Jess se estaba descontrolando otra vez. Tan pronto como llegase a casa, llamaría a Fred, prometería hacer cualquier cosa que quisiera para lograr su perdón y, entonces, se enteraría de la sórdida razón por la que Fred y el señor Fothergill iban a toda velocidad en un deportivo.

19. VIRGO: NOTARÁS DE REPENTE QUE TE HA DESAPARECIDO EL OMBLIGO

Jess llegó a casa y se encontró a su abuela en la mesa de la cocina. Su madre no había llegado todavía. Posiblemente, se habría fugado también con el señor Fothergill. No tardaría en saberlo. El señor Fothergill: máquina sexual y experto en Shakeaspeare. No era de extrañar que estuviese obsesionado con Cupido.

"Abuela, ¿cómo estás? ¿Algún asesino en serie en las noticias de hoy?". Jess le dio un beso en la cabeza. Olía agradablemente, no como otras abuelas, a polvos de talco de lavanda. Con la gente mayor era algo impredecible. Podían, sin más, empezar a oler como agua estancada.

"Hay un virus misterioso extendiéndose por los hospitales de Francia", dijo su abuela. "Y no pueden hacer nada. Son los *antesbióticos*", avisó. "Nos estamos volviendo inmunes a nuestro propio sistema inmunológico". Parecía que la abuela tenía, al igual que el resto de la familia, escaso talento para las ciencias naturales. Incluso, posiblemente, el origen era ella.

"Empieza con vómitos", dijo la abuela con cara de preocupación. "¡Después, los enfermos pueden entrar en coma y palmarla en 24 horas!".

"Bueno, demos gracias por no estar en un hospital en Francia", dijo Jess. "¿Quieres una tostada, abuela? Yo voy a tomarme una, aunque casi se me ha quitado el hambre con tanto hablar de vómitos".

La abuela dijo que sí a la tostada, y pusieron la tetera a calentar. Jess estaba ansiosa por llamar a Fred, pero primero tenía que comer. Si no lo hacía, su estómago empezaría a croar desagradablemente: ¡Croak! ¡Croak! ¡Crrroooaaakkkccrrrooaakk! Como truenos sobre montañas lejanas.

Jess se quitó de la cabeza los vómitos fantaseando (como siempre) con el viaje de compras a Nueva York. Disfrutó de la tostada con jamón y, después, con el corazón acelerado, llamó a Fred. La línea estaba ocupada. Volvió a sentarse con la abuela otro rato.

"Me preguntaba si podrías hacerme un favor, Jess", le dijo.

"Es muy desagradable, pero te lo recompensaré generosamente".

"Haría lo que fuese por ti", mintió Jess, afectuosamente. Esperaba que no tuviese nada que ver con el cuarto de baño.

"Quiero que me pongas las gotas para los oídos", dijo la abuela. "Es que me van a quitar unos tapones pasado mañana". Automáticamente, Jess estaba otra vez de compras en la Quinta Avenida, apretando el paso elegantemente con unas cuantas bolsas de Bloomingdale's y Calvin Klein. Sin embargo, accedió a ponerle las gotas tan pronto como hiciese la llamada de teléfono. Temía que no le dejaran de temblar las manos hasta que hubiese hablado con Fred. Y sería trágico, y posiblemente fatal, ponerle a su abuela las gotas del oído en un ojo, la boca o la nariz. Jess tomó mentalmente nota de no ser jamás dentista. No le hacía mucha gracia pensar en las bocas de los demás.

Llamó a Fred otra vez. La línea estaba ocupada. ¿Estaría la señora Parsons hablando con la policía?

"¿La descripción de mi hijo? Alto, bueno, alrededor de 1,70, pelo claro, delgado, eh, eh, ojos grises con una mirada extraña. ¿Qué llevaba puesto? ¿Qué llevaba puesto? No tengo ni idea. ¡Espere! Tiene que ser su cosa esa gris con capucha y sus vaqueros azules. Y aunque parezca que lo digo porque soy su ma-

dre, pienso que el azul de sus vaqueros hace que sus ojos grises a veces parezcan azules. ¡Por favor, oficial, tráigame a mi hijo!".

Después del quinto intento de llamada a Fred, la abuela empezó a sospechar. La línea estaba siempre ocupada. "¿Está Flora todavía al teléfono, cariño?", preguntó.

"No es Flora, abuela. Es Fred".

Los ojos de la abuela se iluminaron. "¡Ajá! ¡Un chico! ¿Es el que te llamó anoche? Cuando hablaste con él, cielo, parecías un poco nerviosa. ¿No será que es tu novio?", la abuela sonrió y pestañeó repetidamente de forma encantadora, aunque con algo de malicia.

"¡Desde luego que no, abuela!", gritó Jess. "Es solo un amigo. Por ahora no me interesan los chicos, ya lo sabes. En mi opinión, todos deberían ser conducidos en manada a los parques salvajes. Aparte de Flora, Fred es mi mejor amigo. Necesito hablar con él de unos deberes que nos han mandado". Jess se sintió mal al mentir a la abuela. No era como con su madre. A su madre le parecía casi todo mal. Y los novios iban a parecerle peor que todo lo demás. Es más, a Jess le daba terror tener un novio por el simple hecho de decírselo a su madre.

A lo mejor podría evitar decírselo hasta que su madre cumpliese los ochenta y estuviese en una residencia de ancianos, y entonces Jess, que tendría unos cincuenta, pasaría por allí y, como quien no quiere la cosa, le diría: "Por cierto, mamá, tengo novio". E incluso entonces era posible que su madre se levantase bruscamente de la silla de ruedas para darle un par de tortas y le gritase: "¡Buscona! ¡Zorra! ¡Fuera de mi casa, quiero decir, de mi cuarto!". A veces era duro ser la hija de una feminista radical que odiaba a los hombres.

"De acuerdo, abuela, lo admito, lo de los deberes es mentira", dijo Jess". Fred y yo no tenemos que hablar de eso. Le tengo que aclarar un malentendido. Ayer le fallé y está muy enfadado conmigo. Solo quiero disculparme". La abuela asintió, parpadeo repetidamente y se cogió la barbilla con la mano mientras se golpeaba la nariz con el dedo índice. "¿Por qué estás haciendo eso? ¿Sabes algo que yo no sepa?". O a lo mejor, al final la abuela había perdido la cabeza y había enfermado de Alzheimer, o, como Jess lo llamaba equivocadamente cuando era pequeña, *al peine.*

"Solo tu mejor amigo, ¿eh?", señaló la abuela. "Bueno, si tú lo dices...". Se levantó y se arrastró hasta el salón. Jess oyó que encendía la televisión. La abuela nunca se perdía las noticias. Siempre pasaba algo espantoso con partes del cuerpo implicadas.

Jess tomó una decisión instantánea. Correría hasta casa de Fred, llamaría a la puerta y se disculparía allí y en ese momento, de una manera elegante. Si es que alguien puede disculparse de una manera elegante con setenta granos en la cara. Y entonces, Fred la perdonaría, y ella exigiría saber toda la verdad sobre Fred y el señor Fothergill. Jess cogió su cazadora y gritó, "¡Abuela, vuelvo en media hora!", y salió corriendo de la casa.

Desgraciadamente, se encontró con su madre en la puerta del jardín y, por la cara que traía, sabía que había tenido un mal día. A veces, la gente iba a la biblioteca y se hacía pis, caca o se emborrachaba y comenzaba a insultar a voces. Los borrachos y los vagabundos iban a dormir a la sección de libros de consulta. Una vez, un hombre muy viejo que vivía en la calle se había muerto encima del *Oxford English Dictionary.* Todo el mundo piensa que el trabajo de bibliotecario es tranquilo y cómodo, pero a veces la biblioteca era como una extensión de *Malas calles,* y los bibliotecarios, policías y paramédicos disfrazados con chaquetas de *tweed* y largos pendientes comprados en una tienda de comercio justo.

"¡¿Adónde demonios te crees que vas?!", preguntó su madre en tono policial.

"A casa de Fred, solo un momento, a pedirle prestada una cosa". Jess intentó esquivar a su madre, pero le había sujetado el brazo con una fuerza aterradora. Nunca debería haberle sugerido que empezase a ir al gimnasio. Forcejearon brevemente al lado de la valla.

"¿Has hecho los deberes? ¡Métete en casa!", gritó su madre, con un humor pésimo, incluso para sus propios estándares.

"¡Solo tardaré media hora y no puedo hacer mis deberes sin los apuntes de Fred!", gritó Jess con desesperación.

Reuniendo lo que le quedaba de fuerza, Jess empujó a su madre contra la pared, se liberó y salió corriendo. Sabía que cuando volviese tendría problemas, pero necesitaba ver a Fred ahora. Corrió todo el camino y, cuando llegó, llamó inmediatamente a la puerta en vez de esperar a recuperar el aliento. El padre de Fred abrió. Jess podía oír el fútbol dentro. El padre de Fred no parecía estar enfadado con ella; claramente planeaba responder su pregunta en un tiempo récord para volver frente a la pantalla lo antes posible.

"¿Está-Fred?", jadeó Jess, sin aliento. Uno de estos días, iba a tener que hacer ejercicio.

"No", dijo su padre. "Lo siento, ha salido".

"¿Podrías-decirle-que-me-llame, por favor?".

"De acuerdo", dijo el padre de Fred, con la esperanza de que ahí finalizase la conversación.

"¡Gracias!", dijo Jess, y se volvió para marcharse.

A mitad de camino, se dio cuenta de que a lo mejor el padre de Fred estaba mintiendo. Que era posible que Fred no hubiera salido. Que no quería verla. Por otra parte, podía estar a mitad de camino de París con el señor Fothergill. Cuando llevaba tres cuartas partes del camino de regreso, pensó que debería haberle pedido disculpas al padre de Fred por no haber ido al cumpleaños de su mujer. Pero estaba convencida de que, pudiendo elegir, el padre de Fred habría preferido volver al fútbol que soportar apasionados discursos de culpa y vergüenza.

A cien metros de su casa, el móvil de Jess pitó. Lo cogió esperando que fuese Fred, pero solo era un mensaje de Flora. ¡EL GARAJE ES UNA PASADA! ¡LLÁMAME PARA MÁS DETALLES! Jess desconectó el móvil, agitando la cabeza con incredulidad. Como si un simple garaje pudiese tener algún interés. Realmente, Flora necesitaba una vida más interesante.

20.
VIRGO: EL CHICO DE TUS SUEÑOS SE TRANSFORMARÁ EN UN MANDRIL

La madre de Jess estaba esperando, con una mirada hostil.

"¡Lo siento!", dijo Jess, "pero mira, solo he estado veinte minutos. De hecho, dieciocho. Prácticamente nada si hablamos en términos evolutivos. Un suspiro".

"¡¡Esta es mi casa!!", dijo su madre, escupiendo fuego.

"¿Y?" Jess intentaba mantener el ambiente relajado. No quería contarle a su madre cómo le había arruinado la fiesta de cumpleaños a la madre de Fred y que estaba desesperada por disculparse con toda la familia Parsons. Era su mayor crimen hasta el momento y sabía que su madre se disgustaría profundamente. "Me encanta. Es una casa maravillosa".

"¡No te pongas encima en plan chulo!", se encolerizó su madre. "¡Esta es mi casa y espero algo de consideración de quienes viven en ella! Después del día que he tenido, lo que quiero es que alguien me haga una taza de té y me cuente que ha sacado un sobresaliente en Lengua. En lugar de eso, me pegan en la puerta de mi propia casa".

Jess corrió hacia la tetera. Estaba caliente. "¡Demasiado tarde!", dijo su madre con sequedad. "Ya me lo he preparado yo misma. ¿Dónde están los valiosos apuntes?"

"¿Los valiosos apuntes?", repitió Jess, incapaz de recordar en una fracción de segundo de qué demonios estaba hablando su madre. Ese era el problema de mentir. Cuando mientes con frecuencia, como Jess (a pesar de las constantes promesas hechas en Año Nuevo), es difícil recordar lo que se supone que has dicho.

"Los apuntes que fuiste a pedirle a Fred".

"Ah, no pude conseguirlos porque había salido. Es lo que dijo su padre".

"Te podías haber ahorrado tiempo y problemas si hubieras llamado antes".

"Si llamó antes, querida". La abuela estaba mirando desde el quicio de la puerta, confiando en que la pelea derivase en un asesinato a gran escala, posiblemente con partes del cuerpo seccionadas. "Lo intentó varias veces, Madeleine. Tan pronto como llegó me hizo té y una tostada, y tuvimos una charla maravillosa sobre su amigo Frank".

"Fred", corrigió Jess. Aunque adoraba a su abuela y le agradecía su apoyo en un momento como este, si volvía a llamar *Frank* a Fred, Jess podía empezar a gritar, e incluso tirarle natillas por encima.

"Fred, Fred, Fred, ¡me pongo enferma de tanto oír hablar de él. Llamó el otro día y te fuiste corriendo a encontrarte con él. ¿Es que no tienes dignidad ni orgullo? ¿O estarás siempre a disposición de cualquier Tom, Dick o Harry?".

"Bueno, no cruzaría ni la calle para ver a Tom o a Dick, pero si fuese el príncipe Harry de Inglaterra, bueno... ¡eso sería otra cosa!". La abuela se rio. Su madre parecía enfadada y se pasó los dedos por el cabello con aire trágico y fatigado.

"¿Qué te ha pasado, mamá? Siéntate y deja que te haga una sopa". Jess empujó a su madre hasta una silla.

"Abriré una lata de esa deliciosa sopa de tomate, cielo", dijo la abuela. "Necesito hacer un poco de ejercicio".

"¿Qué ha pasado en la biblioteca?", preguntó Jess.

"¿Se ha puesto enfermo alguien?", preguntó la abuela con interés. "Una vez estaba en la oficina de correos y un hombre se desmayó haciendo un horrible sonido gutural. Tuvimos que llamar a una ambulancia. Nunca supe qué le pasó, a pesar de que siempre me ha preocupado bastante, pero supongo que jamás lo sabré, porque ocurrió en 1974".

"Realmente no ha pasado nada", dijo la madre de Jess. "Solo unos cuantos adolescentes insolentes armando jaleo. Alison no vino porque tiene gripe, así que estábamos cortos de gente y ni siquiera pude salir a la hora de la comida. Y entonces, un hombre que olía fatal entró y me preguntó cómo estaba organizada la biblioteca. Tuve que explicárselo tres veces, y a mitad de la tercera me di cuenta de que tenía demencia.

"No te preocupes", dijo Jess acariciando la mano de su madre. "Después de la cena te puedes dar un maravilloso baño con aceite de lavanda, o de geranio o algo parecido".

"Deja de hacerme la pelota", dijo la madre de Jess.

"No te estoy haciendo la pelota, te estoy haciendo una sopa", bromeó Jess.

La abuela cogió una cacerola. "He conseguido abrir la maldita lata", dijo triunfalmente. "Así que no debo ser inútil del todo".

La madre de Jess cruzó los brazos sobre la mesa, apoyó la cabeza en ellos y cerró los ojos. "Estoy destrozada".

La abuela se sintió culpable. "Es por todas las molestias que te he causado, al tener que ir a buscarme para que viniera a vivir con vosotras". Movió la cabeza de un lado a otro. "Solo soy un estorbo. Todo ese largo viaje para allá, y luego que el coche se estropeara en el camino de vuelta, y que tuvieras que encontrar un sitio donde dormir, y después preocuparte por desempaquetar mis cosas y porque me sintiera a gusto. No me extraña que estés destrozada. Jess y yo haremos la cena, ¿vale?".

La abuela acarició con ternura la cabeza de la madre de Jess. Era realmente extraño pensar en ella como la madre de su madre. Una vez, su madre fue un bebé calvo sentado en las rodillas de la abuela. La prueba fotográfica estaba en el vestíbulo. Entonces la abuela era joven y guapa. La historia familiar era muy extraña. Jess tenía una foto de su bisabuelo, que se parecía a Freddie Mercury, aunque era poco probable que hubiese compartido el extravagante estilo de vida de Freddie. En los años veinte, en el norte de Inglaterra, a los chicos no les daba por las boas de plumas ni por las mallas brillantes.

Freddie... Fred. ¡Todo parecía recordarle a él! Jess accedió a ayudar con la cena. Aunque odiaba con toda su alma cocinar, a lo mejor se podía distraer con las tareas domésticas. Se sentía culpable no solo con Fred, sino también con su madre, que tanto había trabajado para hacer el intercambio de habitaciones, sacando todas sus cosas y metiendo las de Jess. La pequeña habitación de su madre todavía no estaba arreglada, había un montón enorme de bolsas negras. Parecía el cuchitril de un vagabundo más que el dormitorio de una bibliotecaria distinguida.

La cena era comestible (gracias a la abuela, principalmente), y después Jess vio las noticias sin protestar. Su madre todavía parecía cansada y algo desaliñada. La abuela estaba encantada porque se estaba juzgando a un asesino en serie en Bosnia. Pero la madre de Jess estaba disgustada porque se había iniciado una nueva guerra en África. "No sé por qué vemos las noticias", suspiró apagando la televisión con una violencia innecesaria. Jess estuvo tentada de decir, "te lo dije. Tendríamos que haber visto la MTV", pero hizo un gran esfuerzo y permaneció callada.

"Siento haber salido cuando me dijiste que no lo hiciera", dijo ahora que su madre parecía estar bastante tranquila.

Su madre simplemente meneó la cabeza, mostrando su impotencia y su falta de esperanza, como si su pequeño forcejeo junto a la verja fuese un síntoma de la terrible tragedia humana que era la vida en el planeta. "Odio la idea de que puedas convertirte en una cualquiera a la caza de chicos", suspiró. "Eras tan especial e independiente de pequeña".

Jess sintió la necesidad de darle a su madre con el objeto más pesado que tenía a mano: la urna con las cenizas del abuelo, que la abuela la había colocado hacía un rato en la mesa de delante de la tele, para que el abuelo pudiera disfrutar del fútbol. Pero se contuvo. Puede que el abuelo no hubiese castigado suficientemente a su hija de pequeña. Pero sería un poco cruel que recibiese una buena zurra de su padre después de muerto.

"Todavía soy independiente", dijo Jess apretando los dientes. "Y no persigo a los chicos. Fred no es mi novio ni lo ha sido nunca, es solo un amigo". O, más bien lo era.

"Simplemente no quiero que acabes abandonada y con el corazón destrozado. Es muy fácil que te ocurra. La mayoría de los hombres son unos monstruos".

"Madeleine, ¡déjalo ya!", exclamó la abuela. "Tu padre no era un monstruo, sino un ángel. ¿Te has olvidado de las chocolatinas que te traía cada viernes?".

"No, no las he olvidado", suspiró la madre de Jess. "Y no te estarás refiriendo a Tim, ¿verdad? Es un padre maravilloso para Jess, ¿a qué sí, cariño? Era un chico tan educado, y todavía es un tipo encantador. Siempre se acuerda de mi cumpleaños. El año pasado me mandó un cuadro de un ramo de flores".

"Sí, papá es estupendo", añadió Jess, aunque pensó que sería agradable verlo más a menudo. "Me manda mensajes constantemente y un horóscopo de broma todos los días. Es guay tener un padre artista. ¿Puedo ir este verano a Cornwall y quedarme con él, mamá?".

La madre de Jess pareció sobresaltarse y puso cara de consternación, como si Jess hubiese sugerido pasar unos días con el señor ogro en su castillo. "No lo sé", dijo, "no querríamos causarle molestias".

"¡Pero, mamá, soy su hija!".

"Bueno, bueno, estoy segura de que a tu padre le encantaría verte, cariño", dijo la abuela. La madre de Jess atravesó a la abuela con la mirada, y la abuela se encogió de hombros.

"Ya se lo he dicho a papá. La última vez que llamó", dijo Jess.

"¿Y qué dijo?", preguntó su madre.

"Dijo que ya veríamos, pero no lo descartó. En realidad, parecía bastante entusiasmado", dijo Jess, mintiendo una vez más en su propio provecho.

"Tendré que mandarle un correo", dijo su madre.

La abuela sonrió entusiasmada. "Estoy convencida de que le encantará ver a Jess este verano, cariño. Es maravilloso que todavía mantengáis una buena amistad, ¿verdad?".

La madre de Jess asintió y una serie de expresiones extrañas pasaron por su cara. Durante un segundo, Jess se preguntó si seguiría enamorada de su padre. Fugazmente, se imaginó una escena en la que ella arrastraba a su madre a Cornwall y juntaba a sus padres en un jardín mágico. A los diez minutos salían del jardín ya comprometidos para, bueno, casarse por segunda vez. Era una escena agradable pero, de algún modo, aburrida.

Jess se fue a la cama después de haber intentado leer el quinto acto de *Noche de reyes*. Eran deberes de hacía dos días. Pero Jess estaba cansada, y las líneas se torcían continuamente, un poco como la letra de Ben Jones. Cerró el libro e intentó pensar en Ben Jones un rato. Volvió a pensar que estaba en Cornwall, esta vez con Ben en traje de neopreno, e imaginó que él hacía surf en la playa de Saint Ives de forma temeraria, digna de una medalla olímpica . Después, caminó hacia la playa, se arrojó a sus pies y le pidió matrimonio. Se casaron en Tobago y pasaron la luna de miel buceando y tumbados bajo las palmeras.

Acababan de quitarse los tubos de bucear para dedicarse al besuqueo propio de la luna de miel, cuando la madre de Jess apareció en la playa. Entonces, la playa desapareció y fue sustituida por el dormitorio de Jess, pero su madre seguía allí, arrodillada junto a su cama.

Besó a Jess en la frente. "Siento lo de esta tarde", dijo. "Vamos a ver qué dice papá sobre que vayas a verle. Pero no estoy segura de que sea una buena idea".

"¿Por qué no? ¿Cuál es el problema?", dijo Jess. Su madre pareció rehuirla con la mirada y se encogió de hombros. "¿Por qué rompisteis papá y tú? ¿Todavía le quieres?".

"¡¿Cómo se te ha ocurrido esa idea?!", exclamó horrorizada su madre poniéndose en pie precipitadamente.

"Pensaba que sería guay que volvieseis a estar juntos. Os podríais volver a casar en alguna parte, en Tobago o en algún sitio parecido".

"¡Qué idea tan espantosa!", dijo su madre y se dirigió hacia la puerta antes de que Jess pudiese sugerir otros escenarios terribles. "¡Ni en un millón de años! Mira, Jess. Sé que puedo tener prejuicios contra los hombres, y supongo que muchas veces para ti debe ser duro, cariño, pero te puedo asegurar que tengo mis razones".

"¿Fue papá cruel contigo?", preguntó Jess mientras su madre abría la puerta.

"No, ¡nunca! No pienses eso. Era encantador. Fue una separación totalmente amistosa", dijo su madre. Salió rápidamente y cerró la puerta. Jess estuvo confundida durante un rato, pero no tenía sentido intentar penetrar en los misterios de su madre. Así que decidió sacarle información a la abuela a la más mínima oportunidad.

Intentó regresar a la fantasía sobre su boda con Ben Jones en una playa caribeña, pero algo se lo impedía. ¿Cómo se iba a concentrar en fantasías sobre Ben cuando su relación con Fred se había ido a la mierda?

Su madre volvió de repente. Tenía un aspecto extraño, parecía misteriosa. "Una cosa más", dijo. Este era el momento de la verdad. Iba a contarle el secreto de su matrimonio. La terrible verdad sobre su amor maldito.

"Me acabo de acordar", dijo su madre, "tienes cita con el dentista por la mañana".

21.
VIRGO: UNO DE TUS PADRES SERÁ ARRESTADO POR ROBAR Y ALEGARÁ LOCURA MENTAL TRANSITORIA

Jess no tenía caries. Se lo agradeció en silencio a la diosa de los dientes: su abuela. Tumbada en la butaca del dentista, de pronto se acordó de que no le había puesto las gotas en los oídos a la abuela la noche anterior. Tendría que hacerlo esta noche. "No quiero que lo haga tu madre", le había confiado la abuela con aire misterioso. "Su coordinación es bastante limitada cuando está cansada. Recuerdo que una vez rompió una ventana intentando vendarme el tobillo".

Cuando Jess llegó al colegio, el recreo de media mañana ya había terminado, y tuvo que tragarse de entrada una clase de Matemáticas de dos horas. Flora estaba en un grupo diferente (de nivel más alto, obviamente), así que Jess no la vería hasta la hora de comer.

A esa hora fue a la biblioteca, pero Flora no estaba allí, ni tampoco Fred (no pudo evitar darse cuenta). A lo mejor, Flora estaba en la galería del gimnasio con Mackenzie y Ben. Fue allí, pero no había rastro de ellos. Había un grupo de chicas con el pelo y el alma de algodón dulce, babeando por un chico llamado Bisón que estaba haciendo flexiones.

"¿Habéis visto a Flora?", preguntó Jess, demostrando con un gesto adusto su indiferencia absoluta hacia el culturismo. No quería que la confundieran ni por un segundo con la clase de chica que babea cuando está delante de unos abdominales bien marcados.

"La vi con Mackenzie, hablando con el señor Samuels en la sala de música", dijo una de las chicas. Jess no estaba segura de si debía atravesar todo el colegio hasta el Departamento de Música. ¿Por qué tenía que correr por ahí detrás de Flora todo el tiempo? Sin embargo, en el camino podía encontrarse a Fred y disculparse.

Jess se sentó en un muro bajo, junto a las pistas de tenis. Algunos niños pequeños estaban tratando de jugar. Resultaba divertido verles. Una niña pelirroja intentó hacer un saque: lanzó la pelota al aire, pero erró el golpe, la pelota le dio en la cara y perdió el control de la raqueta, que salió disparada por encima de la red. Esto animó a Jess ligeramente. Podía estar trágicamente sola, abandonada por su mejor amiga y en mitad de un horrible malentendido con Fred, pero por lo menos podía disfrutar de las desgracias ajenas.

Jodie se sentó a su lado. "¿Qué te ha pedido Fred que hagas para su periódico?", le preguntó.

Jess pestañeó sorprendida. "¡¿Qué periódico?!".

"¡Jess! ¿No te has enterado? El señor Fothergill le ha encargado a Fred que edite un periódico escolar, y Fred le ha estado pidiendo a todo el mundo que redacte algo. A mí me llamó ayer por la noche y me pidió que escribiera algo sobre el medio ambiente. Pensaba que te lo habría pedido a ti primero". Jess sintió una horrible punzada en el estómago. ¡Fred había llamado a Jodie anoche! ¡Así que estaba en casa! ¡Había estado llamando a todo el mundo! ¡Pero no la había llamado a ella! ¡Y le había pedido a su padre que le dijera que estaba fuera!

"Bueno, he estado en el dentista", dijo Jess. "No le he visto todavía".

"¡Es genial!", dijo Jodie. "Hasta tiene un despacho, y pone *Editorial* en la puerta. En realidad, es el despacho del señor Fothergill, pero se lo ha dejado a Fred hasta el final del trimestre. Vamos a tener una reunión editorial dentro de un minuto. ¡Hasta luego!". Jodie se levantó y salió corriendo.

Jess volvió a observar a los niños jugando al tenis. Uno de ellos se había caído e intentaba jugar sentado, y los otros se metían las pelotas por debajo de las camisas y de los pantalones cortos, fingiendo tener grandes tetas o estar muy bien dotados.

Así que Fred le había pedido a Jodie que escribiese una columna sobre medio ambiente. La idea que Jodie tenía sobre lo que era un bello entorno natural era un centro comercial. Y en cuanto a estilo literario, bueno, Jess no quería ser cruel, ni siquiera mentalmente, pero no creía que el señor Shakespeare tuviera que preocuparse por que Jodie Gordon le hiciera la competencia.

A lo mejor, si se paseaba como quien no quiere la cosa frente a la que había sido la oficina del señor Fothergill, Fred estaría dentro, con la puerta abierta, y la llamaría "¡Eh, Jess! ¡Te he estado buscando todo el día! ¡Quiero que seas nuestra columnista cómica, en primera página! Quinientas palabras sobre lo que te apetezca, y pondremos una foto tuya, así que ¡córtate el pelo!".

El chiste sobre el pelo era habitual entre ellos. Normalmente era Jess quien decía "¡córtate el pelo!" en un tono militar, porque a Fred el pelo siempre se le estaba metiendo en los ojos y le bajaba por cuello de la camisa. Le permitían llevarlo así porque era un cerebrito, según los estándares del colegio Ashcroft. Pero Jess se preguntaba a menudo cómo estaría Fred con el pelo corto, aunque corría el riesgo de terminar pareciéndose a un perezoso, o a un primate con unos ojos grandes como platos. *¡No!, ese camino te llevará a la locura*, pensó Jess. Comparar a los chicos con animales era una pérdida de tiempo. Los chicos *eran* animales.

La puerta del despacho del señor Fothergill estaba cerrada y tenía un cartel colgado: *No molestar: reunión editorial.* Jess pasó de largo rápidamente, como si no hubiese estado interesada en esa puerta. Caminó ciegamente durante un minuto, sin tener la más mínima idea de adónde iba. Entonces se encontró cerca del gimnasio de nuevo. ¡No! En cualquier momento la iban a confundir con una de esas chicas que babean por unos músculos.

Se paró, puso cara de estar pensando en algo serio y posiblemente trágico, y miró su reloj dándose importancia. Después, se giró sobre los talones y volvió a la sala de música, como si de pronto hubiese decidido hacer algo tremendo, como salvar ella sola al mundo. Nunca había tenido un día tan confuso. Por lo menos, todo el ejercicio que había hecho le moldearía el culo.

Antes de llegar a la sala de música, oyó a alguien tocar el piano espléndidamente. Jess deseó estar dotada para la música. Para ella la situación más parecida a tocar un instrumento era cuando tiraba de la cadena.

Dentro de la sala, se encontraban los profesores de Música, el señor Samuels y la señora Dark. La señora Dark estaba sentada al piano, y Flora se encontraba junto a ella. Mackenzie estaba de pie, detrás, mostrando mucho interés en algo. El señor Samuels estaba tocando el bajo, y Ben Jones, repantigado pintorescamente sobre una mesa.

Todo el colegio rumoreaba que el señor Samuels y la señora Dark estaban teniendo una aventura extramatrimonial. El señor Samuels estaba algo gordito, pero era decididamente guapo. Tenía el pelo negro y rizado y una sonrisa estupenda. La señora Dark era rubia (quién lo diría, con ese nombre) y de cuello para abajo se parecía bastante a Marilyn Monroe. Se pasaban la hora de la comida tocando juntos en el Departamento, e iban y venían al colegio en el coche de la señora Dark.

El señor Samuels tenía una mujer bizca y boba y dos hijos bizcos y bobos. Otra contradicción. ¿Por qué no habían heredado el aspecto divino del señor Samuels? La señora Dark, por su parte, vivía con un hombre que parecía un asesino en serie. Tenía una nariz de homicida y una boca cruel. Aunque Jess no aprobaba que los profesores tuvieran rollos, pensaba que en este caso era comprensible. Alguien dijo que había visto el coche de la señora Dark después del colegio aparcado en el camino del bosque, un lugar frecuentado por parejas. Pero, obviamente, la señora Dark podía estar paseando a su perro, un schnauzer muy bonito llamado Bridlington.

"¡Jess!", gritó el señor Samuels con una sonrisa de satisfacción. "¡Justo la persona que necesitábamos!". Tenía la capacidad de hacerte sentir siempre bienvenido. "Flora nos ha estado hablando de *Detritus Venenoso;* por cierto, Flora, un nombre excelente".

"¡Ah, sí! Fue idea de Jess", dijo Flora sonrojándose. Pero ¿habría Flora admitido eso si Jess no hubiese estado en la sala? ¿O simplemente se habría adjudicado el mérito, mostrando su hermosa sonrisa?

"Flora y Mackenzie están intentando sacar las notas de una canción con la señora Dark", dijo el señor Samuels, y consiguió decir *señora Dark* de una forma suave, a pesar de ser un nombre corto con un sonido cortante. A lo mejor, era una suerte que la señora Dark no se llamase señorita Honeysuckle, porque entonces la saliva del señor Samuels habría mojado las losas del suelo. La señora Dark dirigió al señor Samuels una sonrisa que habría derretido la Torre Eiffel, y el señor Samuels la miró extasiado. Entonces, la señora Dark retiró la vista de su amado.

"Jess, a lo mejor puedes ayudarnos", dijo. "Estamos un poco liados con las letras".

"¿No puede Jess unirse al grupo?", preguntó el señor Samuels de repente. "Podrías tocar algún instrumento de percusión. La batería o algo por el estilo".

"¡No!", gritó Jess. La felicidad claramente había trastornado a aquel hombre y le había llevado al borde de la locura. ¡No iba a formar parte del grupo de Flora porque a alguien se le hubiese ocurrido a última hora! ¡Jamás, jamás de los jamases! ¡La estaban invitando a que se uniera al grupo por pena! La compadecían por su trágica, solitaria y fracasada existencia. De acuerdo, lo que secretamente quería por encima de todo era estar en el grupo. Pero ahora era demasiado tarde. El grupo lo formaban ellos tres, y ella era una intrusa. E iba a asegurarse bien de seguir siéndolo.

"Vamos a tocar en el acto de fin de curso", dijo Flora con la cara reluciente de horrible emoción. "Es dentro de dos semanas, así que vamos practicar todas las noches después del colegio".

"Menos mal que ya se han terminado los exámenes", dijo el señor Samuels, intercambiando una mirada de deseo con la señora Dark. Claramente estaba recordando su última visita al bosque, donde, sin duda alguna, habían hecho el amor sobre un lecho de hojas, posiblemente con la música de un aparato a pilas de fondo. Un poco como *Nenas en el bosque,* pero en versión para mayores de dieciocho.

Jess intentó controlar su imaginación calenturienta. "¡Genial!", dijo. "¡Qué guay! Pero creo que no voy a poder unirme al grupo. Tengo, ya sabes, tantas cosas que hacer".

"Claro", asintió la señora Dark. "Tendrás que ayudar a Fred con el periódico, ¿verdad?".

"Bueno, no os molesto más", dijo Jess, ignorando la pregunta inapropiada de la señora Dark. Con un poco de suerte mañana *estaría* ayudando a Fred con el periódico. "Solo quería pedirle a Flora su libro de Francés, porque he perdido el mío".

"Cógelo, está en mi taquilla. Ya te sabes la combinación", dijo Flora.

"Mil gracias. ¡Que os divirtáis!", dijo Jess, y se dio la vuelta para marcharse.

De pronto, Ben Jones se deslizó del pupitre. "Hum, creo que yo también me voy", dijo. "Escribir canciones no es... realmente... lo mío". Siguió a Jess, y caminaron juntos hacia el patio de los de Secundaria. "Bueno, sí, hum... ¿adónde vas?", preguntó Ben casualmente. Jess estaba demasiado confundida como para decir que no tenía ni la más remota idea. Le rondaban tantas cosas por la cabeza que ni tan siquiera tenía muy claro dónde estaba. Y mucho menos, adónde quería ir.

"¿Nos tomamos algo antes? Tengo sed", dijo Jess. Fueron al bar del colegio y Jess compró una coca-cola para cada uno y unas galletitas saladas. Insistió en que le tocaba pagar a ella, porque Ben lo había hecho en el burger. Ben se estaba quejando del grupo, pero a Jess le costaba concentrarse.

"Vale", dijo él al cabo de un rato, mientras se terminaba la coca-cola. "¿Adónde vamos ahora? ¿A buscar el libro de Francés a la taquilla de Flora?".

Jess suspiró. Ahora tenía que continuar con la farsa, a pesar de no necesitar el libro de Flora para nada. Solo había sido una excusa para marcharse. Cada vez que contaba una mentira, se volvía contra ella y la atrapaba como una maraña de redes. "Esta historia de, ya sabes, tener que actuar apesta", dijo Ben. "Soy demasiado tonto como para escribir canciones. Soy un inútil tocando el bajo, pero Mackenzie, bueno, como que, me forzó. El grupo es idea suya, ¿sabes?".

"Bueno", dijo Jess educadamente, "estoy segura de que será un exitazo. No habrá más grupos en el espectáculo de fin de curso, solo unas cuantas chicas gordas tocando la trompeta".

"No sé", dijo Ben, "creo que vamos a estar fatal y a hacer el ridículo".

"¡Qué dices!", gritó Jess. Se volvió hacia él haciendo un esfuerzo tremendo. Se sentía culpable por no haber prestado atención a lo que le había estado diciendo durante la última media hora. “Estaréis geniales, ya lo verás. Organizaré personalmente tu club de fans”.

En ese momento, doblaron una esquina y prácticamente se estamparon contra Fred. Eso significaba que la reunión editorial había terminado. Él se puso colorado. Debía de haber escuchado el último comentario de Jess. “Ah, hola”, dijo, intentando parecer alegre y abstraído. Jess sintió que se le venía el mundo encima. Tenía una oportunidad de hablar con Fred y no podía decirle nada porque estaba Ben delante. Fred les rehuía con la mirada, y titubeaba, como si quisiese decir algo, aunque daba la impresión de que hubiese preferido salir corriendo.

“Lo siento...., es un poco embarazoso”, murmuró. Jess se estremeció. ¿Qué demonios iba a decir? “¿Podrías...?”, tartamudeó Fred. ¿La iba a invitar a escribir en el periódico después de todo? “¿Podrías, eh..., devolverme el billete de 20?”.

¡Madre mía! ¡El dinero! ¡El dinero que Fred le había dado para comprar el regalo de su madre! “Claro, claro, se me había olvidado por completo. He tenido tantas cosas en la cabeza en estos dos días... Lo siento, de verdad”, farfulló Jess, buscando el monedero en su bolsa.

Abrió su cartera y se dio cuenta de que había utilizado el dinero de Fred para invitar a Ben. Subconscientemente se había dado cuenta de que tenía más dinero de lo normal, pero no se había parado a pensar por qué. "¡Lo siento! Solo tengo 17.65, te daré el resto mañana". Le entregó la colección de billetes y monedas. Este era el peor momento de su vida.

"Yo puedo prestarte 2.35", dijo Ben, y sacó el dinero de su bolsillo. "Después de todo, me acabas de invitar a una bebida". Le entregó el dinero a Fred. Las cosas iban de mal en peor. Había necesitado la ayuda de Ben para devolver el dinero a Fred. Ben solo había querido ser amable y echarla una mano, pero su presencia no hacía más que empeorar las cosas.

"¡Gracias, chao!", dijo Fred y retrocedió unos pasos. Jess tenía la horrible sensación de que Fred planeaba no volver a hablarla en la vida. Fred se dirigió a Ben. "El grupo... Sí, me gustaría que escribieses algo sobre el grupo para el periódico. Una especie de diario de los ensayos y de todo lo demás. El miedo escénico, ya sabes, los ensayos, las peleas, este tipo de cosas".

"Estás de broma, ¿no?", dijo Ben Jones. "Yo no soy capaz de escribir ni el abecedario. Hum, eh, pero Jess podría hacerlo".

Fred se volvió hacia Jess. Una gélida mirada de cortesía inundó sus ojos. "Preferiría que lo hiciera alguien que de verdad estuviese en el grupo".

"Sí, tienes razón", dijo Jess. "No puedo, no estoy en el grupo. Flora lo hará. Pídeselo".

"De acuerdo", dijo Fred, asintiendo de manera formal. Parecía aliviado.

"Tienes que pedirle a Jess que escriba algo". insistió Ben. "Es, como, un genio con la pluma, ya sabes". Jess deseó que Ben cerrase la boca. ¿Por qué justo cuando debía estar callado tenía esta desastrosa necesidad de hilar varias palabras seguidas?

"Claro, claro", dijo Fred, alejándose poco a poco, como si estuviera bajo la enorme presión de un trabajo importante. "Sí, quiero que todo el mundo escriba algo. Enviadme cosas, enviadme cosas". Hizo un estúpido gesto con la mano y se marchó rápidamente.

El timbre que indicaba el comienzo de las clases de la tarde sonó y salvó a Jess de tener que continuar con la forzada conversación. Lo que agradeció, porque sentía que se le había cortado la digestión, como si se hubiese tomado tres batidos y un zumo de naranja. Para Fred, ella había pasado a ser *una más*. Como cuando había dicho "quiero que todo el mundo escriba algo. Enviadme cosas". Todo el mundo, incluso tú, como te llames, ah, sí, Jess.

Finalmente, las estúpidas clases de la tarde se terminaron, el estúpido timbre sonó y Jess se marchó a casa, caminando con desgana y con su desgracia a cuestas. *Detritus Venenoso* se marchó a un ensayo en el garaje del tío de Serena; Fred estaba cómodamente arremangado en su despacho de editor, planificando su fascinante periódico, y ella se iba a casa a ponerle a su encantadora abuela excitantes gotas para los oídos.

No obstante, la abuela tenía una sorpresa para ella cuando llegó. "Ha llamado un chico preguntando por ti. No ha dejado su nombre. Dijo que llamaría más tarde. Lo mismo era ese amigo tuyo, ¿Fergus?".

22.
VIRGO: TU PIZZA CAERÁ BOCABAJO EN EL SUELO DE LA COCINA Y LE CRECERÁ UNA BARBA POCO FAVORECEDORA

El chico misterioso no volvió a dar señales de vida. Jess no se atrevía a llamar a Fred, por si acaso no había sido él. Podían haber sido Ben o Mackenzie, o incluso Whizzer. Después de todo, en una ocasión le había estrujado una bolsa llena de minestrone. La llamada le dio a Jess un poco de esperanza para poder afrontar la tarde sin suicidarse, tirándose desde lo alto de la mesa de la cocina. De no haber sido por ese rayo de esperanza, lo mejor de la tarde habría sido ponerle las gotas a su abuela.

Después de la cena, la madre de Jess estuvo viendo un vídeo sobre la historia de Inglaterra; estaba algo enamorada del historiador Simon Schama. Así que Jess no pudo distraerse viendo la MTV. Subió a su habitación y continuó sacando su ropa de las bolsas de plástico y colgándola. Era una tarea ingente. Le llevaría años terminarla. Puede que la acabase en unos cinco. Para entonces ya le habría llegado el momento de independizarse, y tendría que volver a sacarlo todo del armario.

¿Qué estaría haciendo dentro de cinco años? Tendría veinte. Increíble. Era obvio que no tendría novio. No parecía que se le dieran muy bien las relaciones con el sexo contrario. Pero eso no le preocupaba. Tendría una brillante carrera de humorista. Jess no perdería el tiempo con los hombres. Si pudiese hacerse lesbiana... Pensó que a lo mejor sería capaz de tener una relación lésbica de cuello para arriba con Macy Gray una vez a la semana. ¿Pero cooperaría Macy? Puede que la mejor solución fuese pretender ser una lesbiana con amante secreta. Así la gente no se compadecería de ella. "De todos modos, mientras te siga teniendo a ti", suspiró, mirando apasionadamente a Rasputín, que parecía sorprendido (como siempre).

¿Quién sería el chico que había llamado sin dejar su nombre? ¿Whizzer, que solo se sintió atraído hacia ella gracias a la sopa minestrone? ¿Ben Jones, que se trataba con ella solo porque su mejor amigo estaba saliendo con Flora? ¿O Fred, que ahora apenas hablaba con ella, y la consideraba una más? Si incluso había estado dentro de su pijama, no al mismo tiempo que él, obviamente. Pero eso tenía que valer para algo. Aunque, aparentemente, no para Fred.

Cuando Jess entró en el colegio la mañana siguiente, se topó con Ben Jones junto al tablón de anuncios. "¿Cómo fue el ensayo del grupo?", preguntó.

Ben puso una mueca de desagrado. "Fue lo peor", dijo. No comentó nada de haberla llamado la noche anterior, así que, lo más probable era que hubiera sido Fred. Pero Jess no estaba segura de cómo iba a averiguarlo. A tercera hora de la mañana tenían Lengua, y todos estarían allí. Si Fred la había llamado, es posible que lo mencionara o le hiciera alguna señal, o algo parecido. ¡Si se hubiera acordado de devolverle el dinero! No había hecho más que añadir sal a la herida. Pobre Fred, tenía que pensar que era una guarra de campeonato.

Cuando entró en la clase de Lengua, el señor Fothergill estaba repartiendo unas hojas. Fred estaba sentado en las filas de delante, leyendo. Normalmente se sentaba al fondo, con ella y con Flora. No levantó la vista ni cuando entró ni cuando pasó a su lado. Ella le ignoró más si cabe y se sentó con Flora. Mackenzie y Ben Jones estaban a su lado. Ahora parecía imposible estar con Flora a solas. Jess tendría que secuestrarla y llevársela a una cabaña en las montañas para que pudieran hablar de cosas de chicas.

Flora le dedicó a Jess una sonrisa resplandeciente, pero inmediatamente se volvió hacia Mackenzie, le susurró algo al oído y le apretó el brazo. "Quiero que esta sea la última clase sobre Shakespeare de este curso", dijo el señor Fothergill. "En las próximas, os dedicaréis a escribir algo propio. Escritura creativa. No lo olvidéis; si queréis presentar algo para el periódico del colegio, dádselo a Fred. ¿Cómo va todo Fred?".

"Estoy desbordado", susurró Fred. "No puedo con ello. Estoy pensando en suicidarme".

"Bien, bien", sonrió el señor Fothergill "ese es el espíritu que hay que tener".

Después, el señor Fothergill les explicó las preguntas sobre *Noche de reyes* que había en la hoja que había repartido. Jess dejó de escuchar. Estaba pensando en el periódico. Tenía tantas ideas. Una columna para corazones solitarios, una columna de cotilleo, un concurso de cómics. Todo el mundo podría hacer caricaturas de los profesores y se publicarían las mejores.

Tenía muchas ideas, pero no iba a enviar a Fred nada que hubiera escrito. Podría no aceptarlo, devolvérselo o perderlo. ¿Por qué no la había pedido Fred que escribiera algo? Claramente la odiaba a muerte. Se lo había pedido a Jodie, ¡pero si apenas sabía sujetar el bolígrafo!

"De acuerdo, poneos a ello", dijo el señor Fothergill. Jess se puso a ello. El señor Fothergill se refería a escribir sobre Shakespeare, pero Jess pensaba empezar con su idea de la sección de contactos.

Chica de 15, encantadora pero loca. 70 granos que soportar, pelo grasiento y oscuro, cierto olor a las gotas para los oídos de la abuela, un culo que siempre parece grande, pecho con el que no ganaría un premio ni en un concurso de pueblo, momentos locos, su imaginación suele volar busca chico rubio, con el pelo de punta que brille como una corona, ojos de color azul-piscina y una sonrisa capaz de calentar un plato de comida más deprisa que un microondas. (Ben Jones, obviamente). Abstenerse fanáticos del fútbol, locos de los ordenadores y yonquis de la violencia televisiva.

Aunque, pensó Jess, ¿qué chicos quedarían si eliminaba a todos esos? ¡Qué limitado era el sexo masculino!

Empezó a diseñar un tercer sexo. Era muy cruel solo tener hombres y mujeres entre los que elegir.¿Y si hubiera algo diferente? ¿Cómo los llamaría? *Mujbres,* tal vez. Al principio, Jess les otorgó los órganos sexuales de ambos sexos, porque pensaba que así no les cerraría ninguna puerta, pero sus cuerpos tenían un aspecto recargado y obsceno. Decidió entonces que no tuvieran órganos sexuales de ningún tipo. Así les sentaría mejor la ropa de alta costura. También los liberaba del aburrimiento de todo lo relacionado con tener que ligar y enamorarse.

Los *mujbres* se reproducirían quitándose un pelo de la cabeza y sumergiéndolo en el agua. Muy pronto, le brotarían las raíces, como a los esquejes del geranio de su madre, y habría que plantarlo en una maceta y dejarla en una ventana al sol. Se formaría un enorme capullo, que se tendría que sujetar en una especie de red, como los melones de invernadero. Entonces, un día se oiría un grito. Alguien correría a la ventana y se encontraría con el capullo abierto y un bebé caído en la red. Entonces, solo habría que ponerle un nombre.

Últimamente, a Jess le encantaban los nombres de lugares. *India* era un nombre bonito para una chica. *Wyoming, San Francisco,* aunque este ya sonaba como el nombre de una persona. Recordaba que San Francisco era el santo que amaba a los pájaros. *Águila* sería un buen nombre para un chico y *Albatros. Tordo,* en cambio, no. Solo un sádico expondría a su hijo a insultos por tener un nombre escatológico.

El timbre sonó indicando el final de la clase. "¡Jess!", llamó el señor Fothergill, "¿Puedo ver cómo vas?". Jess se aterrorizó. Era demasiado tarde. No había contestado ni a una sola de las preguntas. Los sesenta minutos habían pasado volando; le habían parecido cinco. El resto de la clase se marchó. Flora le puso cara de compasión y le dio media tableta de chocolate. Flora, por supuesto, había estado escribiendo a toda velocidad y había terminado a tiempo.

Fred se quedó atrás para preguntarle algo al señor Fothergill. Jess le hizo un gesto de "después de ti", indicándole que fuese él primero. No quería que viera como la humillaba el señor Fothergill. Fred asintió fríamente para darle las gracias y se acercó al profesor. "Es sobre los informes de fútbol", dijo. Jess dejó de escuchar automáticamente. Se dedicó a observar la cabeza de Fred. El pelo le llegaba prácticamente hasta los hombros. Era espantoso. Debería cortárselo.

Finalmente, Fred y el señor Fothergill solucionaron lo de los informes de fútbol, y Fred se marchó sin mirar atrás. Jess se encogió de hombros y puso sus hojas sobre la mesa. "¿Y esto qué es?", preguntó el señor Fothergill, mirando detenidamente las hojas de Jess.

"Me aburría, así que inventé un tercer sexo", dijo Jess.

¿Y Shakespeare?", preguntó el señor Fothergill.

"Iba a empezar en un momento", explicó Jess. "Pero de pronto sonó el timbre. Lo siento, perdí la noción del tiempo".

El señor Fothergill tendría que haber estado enfadado, pero en lugar de eso continuó mirando lo que Jess había hecho. "Me gusta este anuncio para la sección de contactos", dijo. "Escucha, Jess, tendrías que estar haciendo algo en el periódico. Una columna parodiando la sección de contactos es una gran idea. Le diré a Fred que la estás escribiendo, ¿vale?".

"Lo siento", dijo Jess, "pero no quiero escribir para el periódico". El señor Fothergill hizo un gesto de decepción con la boca y se le hundieron sus gordos mofletes. Parecía un cerdo desilusionado. Jess no quería herir sus sentimientos. "Es una gran idea el periódico, me parece genial, y me apetece muchísimo leerlo", añadió rápidamente. "Pero ahora mismo me es imposible escribir nada. Lo siento".

"¿Por qué no?", preguntó el señor Fothergill.

Jess titubeó. Si el señor Fothergill hubiese sido una mujer, no habría dudado ni un instante en contárselo. Pero no estaba acostumbrada a hablar con un hombre de sentimientos y todo eso. Habitualmente, y en su limitada experiencia, estos se ponían lívidos y corrían a ver el fútbol con el sonido a todo meter.

"Es que hay mal rollo entre Fred y yo", dijo.

El señor Fothergill vaciló e hizo una mueca. Se notaba que hubiera preferido hablar de fútbol. "De acuerdo, bueno, no voy a forzarte", dijo de manera sospechosa. "¿Y qué hay del espectáculo de fin de curso? Me contaste una vez que querías ser humorista. Después de todo, es posible que te vaya más hacer algo en el espectáculo. Podrías hacer un monólogo sobre una chica que trata de escribir un anuncio para la sección de contactos. Usa esta idea como punto de partida, ¿te parece?".

Jess estaba al mismo tiempo aterrada y entusiasmada. ¡Podía participar en el espectáculo! No como parte de *Detritus Venenoso,* sino por derecho propio, contando chistes. Estaba tan emocionada que apenas podía hablar, así que asintió.

"¡Bien!, se lo diré al señor Samuels y a la señora Dark, ellos lo están organizando todo. Una vez que tengas un borrador, estaría encantado de repasarlo contigo, y lo ensayaremos en el salón del colegio para que te habitúes a la acústica. De modo que, tan pronto como lo tengas listo, me lo dices. Y solo tenemos unos días, así que ¡espabila!".

"¿Qué...?", dudó Jess. "¿Qué pasa con lo de Shakespeare?".

"¡Ah, sí!", dijo el señor Fothergill. "Tráemelo hecho mañana por la mañana o te meterás en un buen lío. Bueno..., en uno mediano", concluyó con una sonrisa de cerdito. El señor Fothergill era realmente simpático. Nunca volvería a comer bacon.

Era la hora de comer. Flora y los chicos se habían ido a la pequeña sala de ensayos para practicar sus canciones. El señor Samuels y la señora Dark les dejaban utilizarla en la hora de la comida. Solo había un piano, pero Flora daba clases (ya estaba en quinto curso, naturalmente) así que sabía tocar un poco, y Mackenzie había traído su guitarra. Ambos profesores de Música iban a estar muy liados hasta la actuación, practicando con coros y grupos instrumentales —y posiblemente escapándose al bosque para darse un revolcón sobre las hojas de vez en cuando— pero *Detritus Venenoso* no necesitaba más ayuda. Podían ensayar solos. Eso había dicho Mackenzie, con mucha seguridad. No necesitaban a nadie. Y ciertamente no necesitaban a Jess.

No le importaba. Ahora tenía un proyecto propio. Pero primero tenía que comer. Gasolina para el cerebro. Se moría de hambre, así que se engulló un bocadillo de ensalada de pollo en el comedor del colegio. Se sentó sola, no quería charlar. Su mente estaba pensando a toda velocidad. Cinco minutos después había terminado de comer y se fue a la biblioteca. Buscó un sitio retirado y sacó papel y bolígrafo. Tenía que escribir un monólogo que les hiciese partirse de risa. Le enseñaría a Flora lo brillante que podía ser. ¡Se lo enseñaría a Fred! Esta era su gran oportunidad. Iba a hacer de humorista. Un gran momento.

23.
VIRGO: EN TU ZUMO DE NARANJA DEL DESAYUNO, ENCONTRARÁS MUERTO UN PEZ DE COLORES

Durante unos días, la rutina de Jess fue siempre la misma: trabajar su monólogo en la biblioteca siempre que tenía un momento libre. Era lo único que le permitía escapar del nubarrón que suponía su problema con Fred. Cuando estaba concentrada en su monólogo, se olvidaba de todo lo demás. *Estoy intentando redactar este anuncio para la sección de contactos, pero en realidad estoy perdiendo las ganas de vivir...*

Durante toda la mañana estaba ansiosa por que llegase la hora de la comida. *Chica joven, tipo simio, lisa como una tabla y con un culo tan grande que no permite ver el Sol...*". Por la tarde deseaba ponerse con ello después de clase. *Diosa de 15...*, o mejor, *Deidad menor...* Bueno, para ser sinceros, *Deidad menor con una variada gama de problemas dermatológicos...*". Cada vez que pensaba en el monólogo, sentía una emoción extraña —similar a la que había tenido cuando soñaba con Ben Jones—. Pero estaba más colada por su monólogo de lo que nunca lo había estado por Ben.

No es que hubiese dejado de estar loca por él. No del todo. Pero algo había cambiado. Ahora Ben hablaba a menudo con ella y, sin embargo, cuando estaban juntos, Jess no sentía emoción alguna, sino más bien lo contrario. No parecía tener sangre en las venas. Los ojos azules y la media sonrisa de Ben aún le alegraban la vista cada mañana, pero después, ¿qué? Ben parecía más interesado en hablar de Flora y de Mackenzie que en planear un futuro en el que Jess y él disfrutasen del buceo y de un buen revolcón en alguna playa caribeña.

Ben la encontró una mañana durante el recreo, sentada en un banco junto a las pistas de deporte. "Sí, eh, Flora y Mackenzie están teniendo una pelea", dijo, "así que me he quitado de en medio".

"¿Una pelea?", preguntó Jess, "¿por qué?".

"Oh, por montones de cosas", dijo Ben, encogiéndose de hombros. "No hacen más que pelearse en los ensayos".

"¿De verdad?". Jess encontró la información interesante, aunque no tanto como su monólogo, en el que había estado pensando antes de que llegara Ben. "Entonces, no les va bien".

Ben suspiró, se encogió de hombros y dijo: "¡A mí me lo vas a decir!". Después, volvió la cara hacia el sol y cerró los ojos.

"¿Por qué están discutiendo ahora?", preguntó Jess.

"Oh, por el grupo. Mackenzie dice que, ehhh, como la idea de formar el grupo fue suya, que él tiene que tener, bueno, la última palabra en todo, ¿sabes? Pero Flora no es el tipo de chica que puedes, bueno, dominar. Ya sabes, es inteligente y eso".

Jess no sabía si estar contenta o celosa por la alabanza que había hecho Ben a su amiga. Eligió los celos, porque eran más interesantes. "No como yo", respondió con una sonrisa irónica.

"¿Tú?", Ben se giró hacia ella sorprendido, con los ojos muy abiertos. "Tienes que estar bromeando. Eres, bueno, como, miles de veces más inteligente que cualquiera de nosotros".

¡Guau! Esto era casi suficiente como para que Jess se colase otra vez por Ben. Sin embargo, aunque pensase que ella era súper inteligente, no le cogía la mano, ni jugaba con su pelo, ni la miraba a los ojos u otras cosas que Mackenzie le hacía a Flora.

"Flora", continuó Ben, mirando a un punto fijo, "quiere hacerlo, ya sabes, a su manera. Quiere tocar el teclado y cantar a la vez. El señor Samuels dice que puede arreglar los micros, que no hay problema. Pero Mac cree que Flora debería, bueno, estar de pie bailando, ya sabes, como, bueno, haciendo todas esas estupideces que se ven en los vídeos de la MTV. Hum... Quiere que se exhiba un poco, que haga algo sexy. Por eso discuten ahora. Flora dijo que él era, como, bueno, un cerdo y que quería venderla como a una puta y eso".

"¡Qué horror!", dijo Jess. "¿Y tú qué piensas?".

"Hummm, creo que estoy del lado de Flora", dijo Ben. "No tiene por qué, ya sabes, dar saltos llevando minifalda. Es, bueno, cutre. Prefiero la idea de que esté, como, bueno, tocando el teclado. Tiene más, hum, clase". Aunque parecía un ángel recién caído del cielo, Ben Jones daba la sensación hablar con sentido. Aun cuando las palabras tardasen en salir.

"Pero, bueno, hum, hay un problema todavía peor, ¿sabes? Y es que somos muy malos. Vamos a parecer unos idiotas. El grupo apesta. De hecho, hum, eh, bueno ¿crees que podrías ayudarnos, Jess?". Una ráfaga de miedo atravesó el corazón de Jess. ¡No, por favor, que no quiera que me una al grupo!

"¿Podrías, ya sabes, venir y vernos actuar esta noche? A lo mejor se te podrían ocurrir, como, ideas sobre cómo mejorar?", dijo Ben. "Si no, estamos, como, perdidos".

“¡Claro!”, dijo Jess. “Pero mejor mañana, ¿vale? Primero tengo que hablar con Flora para saber si le parece bien”.

“De acuerdo”, dijo Ben Jones. “Y cuando nos veas, no seas, bueno, educada. Dinos lo que sea, ¿vale? No te andes por las ramas”.

Ben se levantó del banco. “Gracias”, dijo, y se agachó para darle una palmadita en el hombro. “¡Eres, hum, una pasada! Tengo que irme: entrenamiento de fútbol”. Y se marchó.

El lugar donde Ben había puesto su mano parecía refulgir. Era la primera vez que Ben Jones la había tocado. Si Ben Jones le hubiese tocado el hombro hace unas semanas, seguramente no se hubiese lavado durante un mes. Posiblemente, incluso un año. Su hombro se hubiese convertido en una reliquia sagrada, conservada en una caja de cristal y adornada con flores frescas cada día. Podría haber ganado una fortuna ofreciéndoselo a las chicas que lo besaran. Habría escrito un cartel diciendo: *Ben Jones tocó mi hombro; observad la impronta milagrosa de sus dedos o, por una pequeña cantidad por adelantado, besad el lugar donde su mano se posó*. Pero ahora que había ocurrido, Jess no podía evitar sentir que la había tocado del mismo modo en que le mostraría su afecto a un viejo perro fiel. Y un poco apestoso, además.

Por otra parte, la forma en la que hablaba de Flora sugería otra cosa. Ben siempre estaba hablando de Flora. La primera vez que habían tomado algo juntos, él le había preguntado por ella. Probablemente durante todo el tiempo que había pasado con Jess, aparentemente hablando de esto y aquello, había intentado dirigir la conversación hacia el tema de Flora, para averiguar más sobre ella. Puede que solo para oír la divina musicalidad de su nombre. ¡Ben estaba colado por Flora! El nombre de una diosa. Lo único reconfortante para Jess es que también era el nombre de una margarina.

¡Cómo se le revolvieron las tripas! A lo mejor todavía albergaba esperanzas de tener una relación con Ben Jones. Pero había tenido muchas preocupaciones últimamente. Estaba el problema con Fred (que no le dirigía la palabra desde hacía siglos), la tarea de escribir el monólogo cómico, la enorme faena de intentar ponerse al día con los deberes que nunca había entregado, y, en los ratos libres, se preguntaba por qué sus padres habían roto. La verdad es que no había tenido mucho tiempo para centrarse en Ben Jones.

De acuerdo, él había hablado a menudo con ella. Pero ni remotamente había sido para intentar ligar. Jess se había acostumbrado al estilo de Ben. Pero había tenido la esperanza de que únicamente fuera un poco parado, que, después de unos seis meses de hablar del grupo, de fútbol, de Flora y de Mackenzie, le pasaría el brazo por la espalda y le diría, "hoy estás estupenda". Y entonces la besaría, o algo parecido, de una maldita vez, antes de que se volviese senil y muriese a una edad extremadamente avanzada.

Pero no ocurriría nunca, porque en ningún momento había estado interesado por ella. Solo por Flora. Jess se sintió tan mal que tuvo que hacer un viaje mental inmediato a Nueva York, donde admiró el cristal y los esmaltes de Tiffany's, y finalmente se compró una exquisita lámpara de mesa de 50 000 dólares. Incluso después de esto, siguió sintiendo náuseas durante todo el día.

Esa tarde llamó a Flora, cuando intuyó que había vuelto del ensayo con el grupo. "¡Oh, Jess!", exclamó Flora, la mujer más adorada del mundo. "¡He tenido un día espantoso! Mackenzie me tiene hasta las narices. Quiere que me ponga delante de todo el mundo y baile como una fulana, y yo quiero tocar el teclado. B.J. dice que sería una buena idea que vinieras a uno de nuestros ensayos y nos dieras algún consejo. Él valora mucho tu criterio, como yo. Así que hemos insistido y Mackenzie ha tenido que ceder. Por favor, ¡dime que mañana vendrás después del colegio! ¡Por favor! ¡Solo tú puedes salvarnos de la HUMILLACIÓN TOTAL!

Jess estuvo tentada a consentir que sufrieran la más absoluta de las humillaciones. Una parte de ella quería presenciar el espectáculo en primera fila, pero su conciencia no le permitía dejar tirada a su mejor amiga. No era culpa de Flora ser tan irresistible, tan exquisita, la Reina de Corazones. Se habían reído mucho durante años. Jess creyó que tenía que serle leal, a pesar de todo. Y tampoco le gustaba la idea de que Ben Jones quedara como un idiota. Aunque estuviese enamorado de Flora y no de ella, ¿y quién no?

"De acuerdo, iré", dijo Jess.

"Si quieres, después de que nos digas cómo podemos mejorar nuestra actuación, puedes hacer tu monólogo y, bueno, quizá podemos ayudarte a ti", sugirió Flora.

Era buena cosa que estuviesen hablando por teléfono y no cara a cara. Porque en aquel momento, Jess hubiese asesinado hábilmente a Flora con una hoja de papel, un envase de yogur vacío o cualquier otra cosa que tuviera a mano. "Puede", respondió Jess. Pero, en su fuero interno, pensó, *antes preferiría ver a mi madre bailando desnuda delante de todo el colegio a que Flora y compañía oigan una sola palabra de mi monólogo, o a que se atrevan a decirme cómo mejorarlo.*

¡Maldita sea! ¡Una de las frases favoritas de Fred! *Antes prefiero ver a mi madre bailando desnuda...*

Desde luego, tenía un don para las palabras. Pero como no le había dirigido la palabra en tantísimo tiempo, Jess tenía que asumir que ahora eran enemigos mortales. Su terrible venganza sería hacerle reír con su monólogo hasta que se hiciera pis en los pantalones. El monólogo era el arma secreta de Jess. Los iba a dejar a todos con la boca abierta.

24.
VIRGO: LA CREMALLERA DEL PANTALÓN TE ESTALLARÁ ESTREPITOSAMENTE CUANDO ESTÉS PRACTICANDO UNA COREOGRAFÍA MUY PROVOCATIVA

El garaje del tío de Serena estaba lejos, casi en las afueras de la ciudad, rodeado de solares y junto al aparcamiento de la estación. Un buen sitio para ensayar, porque no había vecinos que pudieran protestar por el ruido. El tío de Serena estaba divorciado y trabajaba muchas horas como camionero, así que, generalmente, tenían el local para ellos solos. Además, el garaje era gigantesco —no para una o dos plazas de coche, sino con espacio para tres camiones—. De hecho, había un enorme camión averiado aparcado allí, pero, aun así, tenían espacio de sobra para ensayar.

Jess esperó a que estuvieran preparados. Mac y Ben estaban afinando sus guitarras y ajustando los amplificadores; Flora se estaba poniendo la ropa que utilizaría en la actuación. Porque, claro, también era fundamental que Jess opinara sobre su vestuario. Incluso Mac se había cambiado para la ocasión. Había optado por un estilo gótico: macabro y tenebroso. Mientras esperaba, Jess sacó su cuaderno de apuntes y anotó una par de ideas para su monólogo:

¿Por qué la gente en los anuncios de contactos se describe como "atractiva"? Si son tan atractivos, ¿por qué ponen un anuncio? ¿Y si el hombre ideal para cualquier mujer es alto, moreno y guapo, por qué yo sueño con una vida aburrida y flatulenta en compañía de Homer Simpson?

"¡Vale, estoy lista!", dijo Flora, apareciendo de repente. Jess levantó la vista y casi se le salen los ojos de las órbitas. Flora, que en sus días buenos podía ser tan elegante como la princesa Diana, parecía ahora un travesti cutre. Llevaba botas de tacón de piel de leopardo, una minifalda de cuero, corpiño, escote, tirantes, una gargantilla de pinchos, el pelo cardado en todas direcciones, pintalabios negro en cantidades astronómicas y sombra de ojos violeta, que le daba el aspecto de haber peleado doce asaltos con una jauría de Rottweilers. Sin duda, Flora había abandonado la idea de estar en los teclados y prefería estar liderando el grupo.

"Es un estilo chic cutre", anunció.

"¡Muy original!", dijo Jess, tragándose la carcajada.

"Está bien", dijo Mackenzie. "Vamos a ello". Ben Jones tocó unas notas al azar con su bajo. Todos se colocaron en sus sitios y Mackenzie encendió el sintetizador, y un ruido ensordecedor lo inundó todo. Jess, aunque acostumbrada a los ruidos altos, no pudo evitar dar un brinco, como si un tren de alta velocidad le hubiese pasado a tres centímetros de distancia. Flora abandonó su elegancia y serenidad habituales, se agachó como un mandril y empezó a gritar. Aunque era imposible descifrar lo que decía:

"¡Teeeeennnngoooo elllll aaaaarnkh! ¡Quieeeeeroooouuuu plaaaaaaaanzzzzz! ¡Quierooooouuuu trukkkkka plokkkka faaaaaachnina raaaaaaaaaaatz!". Después, empezó a saltar de arriba y abajo, aunque algo encorvada y agitando la cabeza furiosamente hacia ambos lados. Había una expresión rara en su cara. Enseñaba los dientes de arriba y bizqueaba. Entonces miró a un público imaginario con los ojos fuera de las órbitas, sacó la lengua y la movió de un lado a otro. "¡Quieeeeerooooo koooozmeeeeeetttttrr!". (¿Qué era eso? ¿Quería comer?). "¡Quieeeeeeeerooooooouuuuu crannnnnnnaaaaaazzzzz! ¡Trukkkkka plokkkka faaaaaachnina raaaaaaaaaaatz!". Jess sintió unas ganas incontrolables de soltar una carcajada. No podía; no debía. Apartó la vista de Flora. Quizá, si miraba a Mackenzie, reprimiría la risa. Pero Mackenzie, estaba haciendo algo muy desagradable con su guitarra. Jess había visto una vez unas ovejas apareándose en el campo, y eso era lo que parecía Mackenzie: una oveja loca apareándose con su guitarra. Solo Ben Jones conservaba algo de dignidad, rasgueando las cuerdas del bajo, pero ahora que Jess se había acostumbrado al ruido atronador, se dio cuenta de que estaba desafinando.

De pronto, paró la música. Todos se volvieron hacia ella, con la respiración entrecortada. "¡Muy original!", tartamudeó Jess. Una expresión muy útil que hoy estaba prestando un servicio particularmente bueno. Por una vez, a Jess no se le ocurría nada más que decir.

"Tenemos otra canción", dijo Mac. "Una más tranquila. ¡Vamos a ello!".

Jess tenía la esperanza de que esta canción no le provocara tanta risa. No podía, no debía reírse. Pero aún era peor. En la anterior, por lo menos, Flora no había hecho más que gritar. Pero ahora estaba cantando. ¡Dios mío! Era más que obvio que no tenía oído para la música.

Aunque Mackenzie y Ben no la ayudaban mucho. El ruido procedente de sus instrumentos sonaba como una manada de osos irrumpiendo en un cobertizo para herramientas. "¡Por laaaa nooouuucchchchchcheeeeiiii! ¡Stoyyyyy ehn la caaamaaaaa... Ay, pienzuentiiiiiiii!", aulló Flora, haciendo el mismo ruido que una aspiradora rota. "¡Cuandoooouuu la luna.... eztá rojaaaahhhhh... Pieeeemmmmmzoooo entiiiiiii!".

Entonces empezó a hacer una horrorosa coreografía provocativa: se tocaba las tetas y las caderas, y se dibujaba círculos con la mano alrededor del ombligo. Jess se quedó sin respiración, como si la estuviesen forzando a ver un coche estrellándose a cámara lenta. Las ganas de reír, en vez de desaparecer, le aumentaban más y más, como si estuviera embarazada y la tripa le creciera a toda velocidad. Estaba a punto de explotar.

"¡Guau, guau, guau, guau, ooohhh!", entonó Flora, de pronto, moviendo la cabeza de un lado a otro con desesperación. A Jess le recordó el ladrido de un perro pequeño que había paseado en algunas ocasiones para ganar algo de dinero. "¡¿Porrrrrr quéééééééé..., oohhhh, porrrrrrrr quéééééééé me trataaaaazzzzzzzz... como unaaaaaaa put...?!". Jess tenía que reírse. No podía aguantar ni un minuto más. Pero tendría que hacerlo con disimulo, fingiendo tener un ataque de tos. Cogió su bolsa y sacó su pañuelo. Menos mal que su madre había insistido siempre en que llevase un pañuelo a todas partes. ¡Se merecía una medalla!

Jess soltó las primeras carcajadas con el pañuelo delante de la boca antes de que el grupo terminara la canción. Cuando la música cesó de repente, se puso en pie, se cubrió la cara con el pañuelo y fingió un sonoro ataque de tos mientras terminaba de reírse. "Lo siento, tengo un poco de asma, necesito aire fresco, volved a tocar la canción, vengo enseguida", dijo entrecortadamente, y se dirigió tambaleándose hasta la puerta. Atravesó el aparcamiento vacío, con la cara escondida en el pañuelo y fingiendo toser hasta que oyó que empezaban a tocar de nuevo.

"¡Por laaaa nooouuucchchchchcheeeeiiii! ¡Stoyyyyy ehn la caaamaaaaa... Ay, pienzuentiiiiiii!". La voz de Flora era todo un descubrimiento. ¡Pensar que un ruido tan espantoso pudiese salir de una cara tan bonita! A Jess le volvió a dar un ataque de risa. Encontró un pequeño muro en una esquina del aparcamiento, se sentó en él y rio hasta que se le saltaron las lágrimas. Rio hasta que ya no pudo más. Después, se sintió hueca y algo agitada, y tuvo que secarse las lágrimas antes de volver al garaje, cuidadosamente, como si su cuerpo estuviera sujeto con hilo fino. Entró en el garaje justo cuando estaban terminando la canción.

Los tres la miraron con una mezcla de esperanza, decepción y frustración. Flora parecía esperanzada; Ben, decepcionado, y Mackenzie, frustrado. De repente,

Jess se sintió muy mal por ellos. Pobres idiotas. En cinco días iban a estar en un escenario delante de todo el colegio. Se movieron nerviosos, interrogándola con la mirada. "Vamos, admítelo, ¡somos muy malos!", dijo Ben, en tono de broma. Mackenzie pareció ofendido, y Flora, insultada; aunque se la veía desesperada porque Jess dijera algo.

Jess dudó. Si les decía que lo habían hecho bien y procuraba subirles la moral, harían el ridículo frente a todo el colegio. ¿Pero cómo demonios iban a mejorar en cinco días? Flora nunca cantaría bien, aunque ensayase durante veinte años. Jess imploró para sus adentros a la diosa de la música rock para que le diera una solución. Por favor, suplicó, dime cómo puedo salir de esta.

Entonces, ocurrió el milagro. Abrió la boca y dijo: "No, no os preocupéis, lo hacéis bien. Creo que el problema es que no sois suficientemente malos. Se me ocurrió cuando estaba teniendo el ataque de asma. ¿Por qué no lo hacéis deliberadamente lo peor que podáis? En vez de ser vosotros mismos, ¿por qué no os inventáis a tres personajes? Podéis hacer de fracasados, de cabezas huecas o de idiotas, y también podéis reescribir las canciones para que sean realmente malas. Sería como, bueno, una especie de comedia-rock. ¿Sabéis a lo que me refiero?".

En ese momento, ocurrió algo fantástico. Sentimientos de alivio, excitación y gratitud se reflejaron en sus caras. "¡Qué buena idea!", gritó Mackenzie. "¡Así no importará si tocamos mal, porque serán unos idiotas quienes lo hagan, no nosotros!".

"¡Y dará igual si yo desafino! Jess, ¡eres un genio!", dijo Flora. Corrió hasta ella y le dio un gran abrazo, aunque le hizo daño con el collar de pinchos.

Ben Jones solo dijo, "¡genial, genial!", en voz baja, como para sí mismo. Jess le estaba cogiendo gusto a la idea. "Cuando salgáis, podéis presentaros, para que todo el mundo sepa que no sois vosotros. Podéis decir algo así como: Hola, soy Aarón Esnob y este es mi grupo *Caniches Elásticos*. Os presento a Jules Lerdete, en el bajo, y a nuestra solista Jolene Melones... Incluso podéis añadir algo realmente estúpido y hortera, y después cantar la canción tan mal como sepáis".

"¡Escríbelo, escríbelo!" chilló Flora. "¡Lo que acabas de decir!".

"Sí, tendrías que escribirnos un guion", dijo Ben. "Lo harías fenomenal. Nos has, bueno, ya sabes, salvado la vida".

Jess sonrió y se encogió de hombros con modestia. Era una pequeña exageración decir que les había salvado la vida, pero era agradable sentirse útil. Ben le dirigió a Jess una mirada de amor puro ¡Qué pena que no fuera de amor de otro tipo!, pensó Jess. Pero, por lo menos, era un comienzo.

25.
VIRGO: OIRÁS UNOS DESAGRADABLES RUIDOS DE ANIMALITOS CORRIENDO BAJO EL SUELO DE TU CASA

Los días siguientes fueron muy ajetreados. El grupo siguió los consejos de Jess y modificó su actuación. Jess fue a otro ensayo. Ahora que intentaban ser graciosos, no lo eran tanto, claro. En esta ocasión, en lugar de disimular la risa, tuvo que fingirla. No es fácil hacer reír.

Sin embargo, ahora la puesta en escena del grupo era aceptable. Jess había conseguido que no hicieran el ridículo. También le dio a Flora algún que otro consejo traicionero. "Podrías hacer a Jolene un poco más extravagante en cuanto a, bueno, ropa y maquillaje", sugirió Jess. "Me refiero a que sea realmente repelente". Se moría de ganas de contemplar tan agradable escena.

Como el señor Fothergill se había ofrecido a ayudar a Jess con su monólogo, dos días antes del espectáculo se fueron al Departamento de Lengua, después de clase, para ensayar. Temblando ligeramente y con el corazón sonándole tan alto como una batería, Jess empezó su monólogo:

"*Chica de 15...* espera un momento... *¿Chica?* Hummmm. ¿No sería mejor *Nena*?... *¿Leona?... ¿Mujer?* ¡Ay! Estoy intentando redactar un anuncio para la sección de contactos, pero estoy perdiendo las ganas de vivir. No puedo ni siquiera elegir la primera palabra bien". Un niño llamó a la puerta, y Jess se distrajo.

"¡Largo!", gritó el señor Fothergill. No era muy buen comienzo. "Lo siento, Jess, continúa", dijo.

"¿Vuelvo a empezar?", preguntó Jess.

"No, no te preocupes, continúa desde donde estabas".

A lo mejor decía eso porque quería que acabase lo antes posible. Jess se desanimó, pero se obligó a continuar.

"*Chica de 15. Chica* ¡Uf! Odio la palabra *chica,* suena tan... a chica. Parece que te refieres a alguien ingenuo e indefenso, que llora cuando ve un petirrojo herido y borda capullos de rosa en un guante de cocina. *¿Buscona siniestra?* Vamos a ver. *Buscona siniestra de 15, con un culo como una cordillera...* No, no termina de encajar. ¿Y *diosa del demonio*?... *¿Deidad menor a tiempo parcial con un pequeño toque de acné?* Hummm. Puede que *chica* sea lo mejor, después de todo".

El señor Fothergill sonreía, animándola. ¿Se estaría limitando a ser educado? Jess apretó los dientes y continuó.

"De acuerdo, así que tenemos *Chica de 15,* bueno, está visto que el anuncio va a empezar así, a menos que mienta sobre mi edad. Y no funcionó cuando intenté alquilar un vídeo para mayores de 18. *Chica de 15... ¿atractiva?, ¿no desagradable a la vista?* Tampoco sería cierto del todo, pero los pobres tontos que lean el anuncio no tienen por qué saber la verdad. Hummm. ¿Me ha dicho alguna vez alguien algún cumplido? Uf, bueno, de pequeña, mi abuela me dijo una vez que era encantadora. Aunque al rato dijo lo mismo de un chucho lleno de moscas que pasaba por ahí. Entonces, desechamos lo de *atractiva.*

"*Chica de 15, ¿limpia?* Bueno, algo es algo, ¿no? Y llamadme chapada a la antigua, pero es una cualidad que cualquiera tendría en cuenta en una novia".

El señor Fothergill se rio; su risa sonó como el gruñido de un perro que espera que le des una galleta.

"Sin embargo, *encantadora* es una buena palabra. Puedes tener el culo de un dinosaurio y todavía aspirar a ser encantadora. Como yo. De acuerdo: *Chica de 15, encantadora pero, afrontémoslo, loca, le gustan: los vampiros, los tigres siberianos, las monjas amables y poco más. Aficiones: eructar por Inglaterra, la flatulencia en general —la mía es de medalla olímpica—, ocuparme de los oídos de mi abuela (sí, tengo lo que llamamos un estilo de vida propio) y...* ¿Qué más? ¿Qué otros pasatiempos tengo? *Estar sentada, con ocasionales interrupciones de breves pero maravillosos períodos de estar de pie*".

El señor Fothergill se rio otra vez, ¡Ruidosamente! *¡Le quiero! ¡Le quiero!*, pensó Jess, aunque hubiese querido a cualquiera que se riera de uno de sus chistes. El señor Fothergill se rio un buen rato. Su risa se parecía a la de Santa Claus. "¡HO, HO, HO!". Era un poco extraña, pero Jess estaba inmensamente agradecida, y se dispuso a terminar el monólogo con mucha más confianza.

"¡Bravo! ¡Excelente!", dijo él. "¡Lo has hecho muy bien! Si te parece, ahora que lo has memorizado, voy a hacer una fotocopia del guion. Así podré hacer de apuntador si se te olvida alguna frase durante la actuación. Solo una cosa más: creo que deberías estar sentada frente a una mesa. Sé que en este tipo de actuaciones el humorista suele estar de pie, pero pienso que en esta ocasión sería más adecuado que estuvieses sentada. Así, podrás garabatear cosas, como si realmente estuvieras intentando escribir el anuncio, y cada vez que arrugues un trozo de papel, puedes hacer una bola y tirársela al público. Le gustará". El señor Fothergill estaba desperdiciando el tiempo dando clase en el colegio Ashcroft; debería estar dirigiendo películas en Hollywood.

"Ahora te llevaré a casa", dijo, una vez que Jess hubo ensayado el número sentada y él terminó de fotocopiar el guion.

"Oh, no se preocupe, puedo irme andando a casa, no vivo lejos", dijo Jess.

"No, no, te llevaré a casa", dijo el señor Fothergill. "Puede que tu madre esté preocupada".

"Mi madre solo se preocupa por la situación internacional", dijo Jess.

"Si eso es así, debe estar fuera de sus casillas de puro nerviosismo", dijo el señor Fothergill. Cogió su cazadora y apagó las luces. Después, se marcharon andando por el pasillo. "Tenemos que recoger a Fred", dijo el señor Fothergill.

A Jess le dio un vuelco el corazón. Fred y ella no habían intercambiado una palabra ni una mirada —ni, naturalmente, se habían puesto cara de mono el uno al otro— desde hacía siglos. De pronto, sintió que le flaqueaban las piernas. Llegaron a la puerta de la oficina.

Estaba abierta, y Fred se encontraba dentro, escribiendo frenéticamente en el teclado del ordenador entre un montón de papeles.

"Ya es hora de irse a casa, Fred", dijo el señor Fothergill.

Fred levantó la vista, vio a Jess y se puso blanco. Después, rojo.

"¿Cómo va todo?", preguntó Jess, educadamente.

"Bien, gracias", dijo Fred. Apagó el ordenador, se levantó y metió unos papeles en su bolsa. No la miró.

"Fred está deseoso de ejercer de crítico de la actuación de fin de curso", dijo el señor Fothergill. Jess tuvo un ataque de pánico. "Dice que no va a dejar títere con cabeza".

"¿Cuándo sale el periódico?", preguntó Jess, demasiado paralizada por el miedo como para decir nada interesante.

"A principios de la semana que viene", contestó el señor Fothergill, mientras cruzaban el aparcamiento en dirección a la *banana motorizada.* "Me temo que mi coche es un deportivo biplaza, pero estoy seguro de que podéis ir apretujados; solo tenemos que recorrer un kilómetro más o menos". El señor Fothergill abrió el coche con la alegría y despreocupación propia de un torturador experimentado. "Entra tú primero, Fred. A Jess no le importará sentarse en tus rodillas, ¿verdad, Jess?".

"No, no", dijo Jess. "Así iré practicando para cuando me tenga que sentar en las rodillas del editor de *The New York Times*".

"Probablemente *tú* serás la editora de *The New York Times,* Jess", dijo el señor Fothergill, abriendo la puerta del copiloto. Fred se metió torpemente, y Jess, apremiada por el señor Fothergill, cayó encima de él. "Lo siento", dijo el señor Fothergill, "pero tenéis que llevar puesto el cinturón. Os lo colocaré alrededor de los dos. No hay problema".

Jess y Fred, pegados el uno al otro e incómodos, esperaron a que el señor Fothergill se sentase en el asiento del conductor, se colocase las gafas, se le cayesen las llaves, y, en general, perdiese el tiempo. Finalmente, la *banana motorizada* se puso en marcha con un rugido. Jess podía sentir el calor del regazo de Fred. Estaba muy quieto y completamente en silencio, sin duda, en estado de *shock.* Jess sintió calor y, después, frío. Varios escalofríos le recorrieron el cuerpo. El señor Fothergill conducía, mientras hablaba alegremente sobre crítica teatral. Jess y Fred estaban sin palabras, por lo desagradable de la situación. El señor Fothergill soltó un largo monólogo, aunque parecía no darse cuenta de que estaba hablando solo.

Finalmente, llegaron a casa de Jess, y esta salió del coche. "Gracias por traerme, señor Fothergill", dijo.

"Siento pesar tanto, Fred", añadió torpemente, sin mirarle a la cara. "Tengo que perder peso, ¡adiós!". La *banana motorizada* se marchó emitiendo de nuevo un rugido. Jess caminó por el sendero del jardín, aliviada y, al mismo tiempo, un poco triste de que la extraña situación que acababa de vivir hubiese terminado. Era la primera vez que se había sentado en el regazo de un chico.

¡Qué irónico que hubiese sido precisamente el de Fred! A él probablemente no le había hecho nada de gracia. Ella había sentido calor, frío y algunos escalofríos; había sido una mezcla de emoción y de horror. Si le pasaba eso con un chico al que odiaba, ¿cómo sería con Ben Jones? Aunque no estaba segura de que algún día llegase a sentarse en el regazo de Ben Jones. Jess pensó que probablemente había más posibilidades de que algún día se sentase encima de una barbacoa al rojo vivo o de un caimán.

"¡Hola, cielo!", dijo la abuela, animadamente. "¡Ha habido una masacre en Venezuela!". Como siempre, alegre ante una desgracia. "¡Y he hecho pastel de coco!".

Tras comerse la mitad del pastel, Jess se dio cuenta de que tenía la garganta irritada. Después, viendo *Parque Jurásico* con la abuela, volvió a sentir escalofríos. Sentía calor y, después, frío, y, a lo mejor, no era por haber estado sentada en el regazo de Fred, sino por la fiebre.

"Cariño, estás un poco roja", dijo la abuela. Cuando llegó su madre de su reunión a favor de la paz, Jess estaba tumbada en el sofá tapada con la manta del ejército de su bisabuelo. Su madre le tomó la temperatura, tenía 39 de fiebre.

"Tienes dos grados más de lo que deberías", dijo. "Tienes que irte a la cama. ¡Ay! ¡Mi pequeña! ¡Yo estaba en una estúpida reunión mientras tú estabas aquí enferma!". Cada vez que Jess estaba enferma, a su madre le entraba la vena sentimental y sensiblera. "Cariño, te voy a preparar huevos revueltos".

"¡No quiero huevos revueltos!", dijo Jess con voz ronca. "¡No me gustan ni cuando me encuentro bien!".

"Sí, claro. Lo siento. ¡Estoy tonta!", dijo su madre, ayudando a Jess a subir las escaleras y preparándole la cama. "¡Oh, no! ¡Nos hemos quedado sin vitamina C!".

"¡¿Cuál es su temperatura en grados Fahrenheit?!", gritó la abuela desde abajo.

"39 grados centígrados son unos 100 grados Fahrenheit, creo", contestó la madre de Jess. A Jess no le gustó nada como sonaba aquello. ¿Y si se moría? Bueno, si se moría, por lo menos Fred se sentiría mal.

Jess imaginó que Fred asistía a su funeral desconsolado por la pena. Pensó que visitaría su tumba todos los días durante el resto de su vida, y que allí lloraría y arrojaría rosas. Además, como ella se había sentado en sus rodillas, no se las habría lavado nunca más. Aunque probablemente tampoco se las había lavado hasta entonces.

Durante toda la noche tuvo escalofríos. Le dolían todos los huesos del cuerpo y no se podía mover. La fiebre hizo que tuviera sueños extraños. Cabalgaba sobre el ala de un avión. Un bebé desnudo y gigantesco dirigía el tráfico. Y el peor de todos: en medio de su monólogo, se olvidaba de las frases que tenía que decir. Cuando se despertó a la mañana siguiente, sus sábanas estaban empapadas en sudor.

"¡Mi pobre niña! Hoy no puedes ir al colegio", dijo su madre, frotándole la frente con una apestosa toallita para la cara. Jess sabía que no podía ir al colegio. Andar dos metros hasta el cuarto de baño ya era un reto. "Tienes gripe", dijo su madre. "Probablemente mejorarás para el fin de semana".

"Pero la función es mañana", dijo Jess con voz ronca. "Tengo que ponerme buena para hacer mi monólogo".

"Lo siento, cariño", dijo su madre, "pero creo que es mejor que te quites eso de la cabeza".

Jess se sintió profundamente decepcionada. El único día del año en que de verdad quería ir al colegio —el único día en que tenía algo realmente especial que hacer— era mañana. Y no iba a poder ir. Su cuerpo la había dejado tirada. Jess maldijo en silencio a los dioses de la gripe. Se mordió el labio con fuerza intentando no llorar, pero cuando su madre se marchó al piso de abajo, derramó algunas lágrimas sobre su almohada. En realidad, la fiebre la había dejado tan débil que rompía a llorar cada vez que pensaba en los anuncios de la tele de las protectoras de animales.

Jess intentó desesperadamente pensar en alguna broma amarga que la alegrase y que mantuviera sus lágrimas a raya. Finalmente, encontró una: por lo menos, Fred no podría destripar su actuación cuando ejerciera de crítico teatral.

26.
VIRGO: POR EQUIVOCACIÓN LLAMARÁS "MAMÁ" A TU PROFESORA

Al día siguiente, Jess estaba todavía enferma, pero consiguió llegar hasta el piso de abajo. Su madre le hizo la cama en el sofá. Siempre y cuando no tuviese que subir y bajar escaleras, la abuela podría cuidar de ella mientras su madre estuviese en el trabajo.

El móvil de Jess empezó a pitar. El padre de Jess se había enterado de que estaba enferma y empezó a mandarle mensajes.

¿QUÉ TIPO DE GRIPE ES? ¿TIENES FIEBRE? DILE A LA ABUELA QUE TE DÉ MUCHOS LÍQUIDOS, escribió su padre.

TENGO 203º DE FIEBRE Y LA ABUELA ME ACABA DE DAR MI TERCER GIN TONIC, contestó Jess.

¿ESTÁS BROMEANDO O DELIRAS?, le preguntó su padre.

DELIRO, contestó Jess, ¿POR QUÉ ROMPISTEIS MAMÁ Y TÚ?

Se produjo una larga espera, durante la cual Jess y su abuela vieron *Barrio Sésamo.* Después, su padre contestó: ES UNA HISTORIA MUY LARGA, DEMASIADO PARA UN SMS. TUVO QUE VER CON MI LAMENTABLE DESORDEN DE PERSONALIDAD.

¡COBARDE!, contestó Jess. TE LO CONTARÉ CUANDO TE VEA, prometió su padre. DISCÚLPAME, ES QUE ESTOY VISITANDO EL POLO NORTE. ¡ES UNA BROMA! RECUPÉRATE PRONTO. TE QUIERO. Un poco después de haber visto *Barrio Sésamo,* Jess se durmió y soñó que la rana Gustavo era un amigo suyo de tamaño natural. Se llevó un chasco cuando se despertó.

La abuela trasteó por ahí, se sentó a su lado y le hizo algunos sándwiches diminutos, como para muñecas. Leyó a Jess los atroces asesinatos que venían en el periódico. Así pasó el tiempo agradablemente hasta que su madre volvió a casa. Para entonces, a Jess ya no le dolía nada, pero estaba tan débil que apenas podía levantar la cabeza. Jess se volvió a dormir y soñó que vivía con un búho en una cueva de la India. Cuando se despertó, eran las ocho y media de la tarde, momento en que la función estaría en pleno apogeo. Jess tendría que haber estado realizando su primer número como humorista. Pero en vez de eso, estaba tumbada en el sofá viendo un apestoso concurso en la tele.

Las siguientes veinticuatro horas pasaron, más o menos, de la misma manera. Durmió, bebió muchos líquidos y tuvo sueños extraños, incluyendo uno bastante desafortunado en el que tenía un lío, de entre todas las personas del mundo, con el señor Fothergill. Jess envió inmediatamente una reclamación a la diosa de los sueños, solicitando que la vez siguiente su amante secreto fuera Brad Pitt. A mitad de un sueño, en el que tenía tres ojos y le crecía hierba en las manos, apareció la cara de la abuela en medio del cielo. "Jess, cariño", dijo. "Flora ha venido a verte. Con un chico, creo que puede ser Fred".

La visión de las manos llenas de hierba desapareció y fue sustituida por el salón. Jess hizo un esfuerzo y se sentó. "¿Les digo que pasen?", preguntó la abuela. "¿Estás lo suficientemente bien para verlos?" ¡Oh, no! ¡El sofá estaba cubierto por sábanas empapadas de sudor! ¡El pijama de Jess apestaba a zoo! Se pasó los dedos por el pelo; parecía el nido de un pájaro. Y su cara, bueno, no se la había visto en más de dos días. Era todo un récord, pero también podía estar hecha un desastre. ¿Qué habría ocurrido con sus cejas?

"Vale, diles que pasen", dijo Jess. La abuela salió, y al minuto entró Flora, pero no con Fred, sino con Ben

Jones. Jess se sintió aliviada, aunque también un poco decepcionada. Primero, asomaron la cabeza, como si tuvieran miedo de lo que pudiesen encontrar.

"Bienvenidos a mi ciénaga", croó Jess. "Siento esta peste".

Así que esto era el final. Ahora que la había visto así, Ben Jones nunca, nunca la volvería a invitar a salir. "¡Jess, pobrecita mía!", exclamó Flora. "Te hemos traído uvas. No te preocupes, están lavadas". La abuela anduvo de aquí para allá, encontró un plato para las uvas, las colocó con gracia junto al sofá de Jess, les ofreció zumo a Flora y a Ben y, discretamente, salió de la habitación cerrando la puerta. Flora y Ben se sentaron juntos en el suelo; parecían un par de gemelos: ambos rubios, ambos guapos, con idénticos ojos azules. *Están hechos el uno para el otro*, pensó Jess. *Es solo una cuestión de tiempo hasta que se den cuenta. No me importará, estaré preparada.*

"Bueno, ¿cómo fue?", dijo Jess, completamente ronca.

"¡Alucinante!", dijo Flora. "¡Todo el espectáculo fue alucinante!".

"¿Y vuestra actuación?", preguntó Jess.

"¡Fue genial!", dijo Flora. "No podía creerlo, la gente se estaba partiendo de risa incluso antes de que empezásemos a hablar ni a hacer nada, simplemente por las pintas que llevábamos. Eres un genio, Jess. Fue todo idea tuya".

"Es una pena que no pudieses hacer tu número de humor", dijo Ben. "Tenía muchas ganas de verte haciéndolo".

"Bueno, otra vez será, supongo", dijo Jess.

Se hizo un silencio, que se convirtió, de un forma curiosa pero definitiva, en un silencio extraño. Oh-oh. A lo mejor Ben y Flora ya habían empezado a salir juntos. A lo mejor habían caminado hasta allí cogidos de la mano. A lo mejor habían compartido un beso en la parada del autobús, para coger fuerzas antes de decírselo a Jess.

"¿Qué es lo que pasa?", preguntó Jess. Era un poco excesivo tener que tomar la iniciativa estando enferma, pero alguien tenía que hacerlo. *Vamos, vamos, directos al grano*, pensó Jess. Flora titubeó y se sonrojó. Miró hacia el suelo. Un mechón de pelo suave y brillante se le vino a la cara. Con un gesto gracioso y elegante, se lo colocó detrás de la oreja. Jess comenzó a escribir el guion por ella.

Es que..., tartamudeó Flora en la imaginación de Jess. *Ben y yo, bueno, nos hemos dado cuenta de que, bueno, ¿cómo decirlo?, de que nos gustamos.*

Pues ¡enhorabuena!, respondió Jess. Iba mucho mejor vestida en su imaginación, y su pelo, en vez de enmarañado y sucio, brillaba. Su nariz no estaba roja en absoluto y, milagrosamente, ya no parecía un nabo tierno y descarado.

"Es un poco extraño en realidad", comenzó a decir Flora, en la vida real. "Lo siento mucho, muchísimo, Jess, no fue mi culpa". Allá vamos, pensó Jess, preparándose para dar sus más cálidas felicitaciones. Flora se sonrojó otra vez, miró hacia el suelo y se movió inquieta. "Pensé que no podía negarme, porque el señor Fothergill me pidió, me pidió que hiciese tu monólogo. Tenía una copia y dijo que era una pena que no pudieses hacerlo tú, así que me pidió que te sustituyese".

Un agujero inmenso pareció abrirse en la tierra, y Jess sintió que se caía en él. "¿Hiciste mi número de humor, en la función?", preguntó Jess al borde del desmayo. Este no era el golpe que ella esperaba, era diez veces mayor.

"Lo siento de verdad, Jess", se lamentó Flora. "El señor Fothergill lo explicó todo antes de que yo empezara. Dijo que era una pena que estuvieses enferma y que no pudieses hacerlo tú, pero que creía que el monólogo era demasiado bueno para que se perdiera, y que por eso me había pedido a mí que lo leyese".

"Todo el mundo se moría de risa", dijo Ben, "Estuvo genial. Al final aplaudieron como locos, y Fothergill dijo: Vamos a darle un aplauso especial a Jess, y esperemos que se recupere pronto, y todo el colegio te vitoreó, ¿sabes?”. De alguna manera, Jess consiguió parecer complacida y, después de un rato, pudo hablar de otros asuntos. Pero era casi como tener una experiencia fuera de su propio cuerpo. Podía oírse a sí misma hablar sobre cosas cotidianas irrelevantes, pero su yo real estaba en otra parte.

La idea de Flora haciendo su monólogo era una tortura absoluta. Y lo empeoraba el hecho de que ese fuese un sentimiento egoísta y que Jess se avergonzase de él. Había sido un trabajo suyo, y aunque le había encantado escribirlo, lo que más ilusión le hacía era subirse al escenario y actuar delante del público. Odiaba a Flora por habérselo robado. No podía evitarlo. Sabía que no era su culpa, que el señor Fothergill se lo había pedido. Pero Jess sencillamente la odiaba.

Una media hora después, Jess se quedó sin voz y comenzó a toser. La abuela entró y dijo que debían dejarla descansar. “No me des un beso de despedida, puede ser contagioso”, le dijo Jess a Flora. Y entonces, finalmente, se marcharon.

“¡Qué gente joven más encantadora!”, dijo la abuela. “¡Qué amable de su parte venir a visitarte y a animarte, cariño!”.

Jess asintió, aunque no tenía la sensación de que hubiesen venido para animarla. Se sentía como si la hubiesen atracado. Se echó la manta encima de la cabeza y, en la semioscuridad, contempló la única cara que nunca la decepcionaría o traicionaría en toda su vida, y que nunca, nunca cambiaría. La de su osito de peluche Rasputín. "Atento, Rasputín", susurró, "puede que tenga que llorar un poco dentro de un par de minutos".

27.
VIRGO: TODOS LOS PELOS QUE TE HAS QUITADO DE LAS CEJAS TE CRECERÁN EN LA BARBILLA. OCURRIRÁ DE REPENTE, A ESO DE LAS TRES Y MEDIA

La semana siguiente, Jess volvió al colegio. La primera persona con la que se encontró fue con Jodie, que estaba de pie junto a la tapia, leyendo el periódico. “¡Eh! ¡Has vuelto!”, exclamó Jodie. “¡Qué bien! ¡Es una pena que te perdieses la función! Mira, ¡ya ha salido el periódico!”. Jess miró el titular:

FLORA BARCLAY SE ADUEÑA DEL ESCENARIO

Adueñarse era, en efecto, el verbo más adecuado. Los ojos de Jess se precipitaron sobre la crítica de las actuaciones, escrita por *Cruella de Vile,* el alias de Fred, obviamente.

Flora Barclay triunfó en la función del colegio la semana pasada, no solo liderando el desternillante grupo de bacalao, Detritus Venenoso, sino también representando el número de humor de su mejor amiga, Jess Jordan, al encontrarse esta enferma y no poder actuar.

Seguía una minuciosa descripción del ingenio de Flora, de su aplomo y de su vis cómica, y finalizaba vaticinando una carrera brillante *en televisión o, posiblemente, como la próxima Gwyneth Paltrow.* A Jess se le revolvieron las tripas. Sabía que no debía molestarse tanto por el éxito de su amiga, pero simplemente no podía evitarlo. Sentía como si sus entrañas estuvieran llenas de alquitrán negro. "Mi artículo de ecología está en la página siete", dijo Jodie, "pero, por favor, no lo leas porque es aburridísimo".

"Me voy a comprar mi propio ejemplar", dijo Jess. "¡Mi madre querrá leerlo también, es una activista ecológica!". Y se marchó rápidamente hacia el colegio, sin ganas de encontrarse con nadie, ni siquiera con quienes mejor le caían.

Durante toda la mañana, Flora estuvo en un estado de alegría absoluta. Intentaba comportarse con normalidad, pero todo el mundo se le acercaba diciéndole: "¡Eh! ¡Lo has conseguido! ¡Eres la sensación del colegio!". Todo el mundo le lamía los zapatos y le suplicaba que le grabase en la piel su autógrafo con unas tijeras de uñas. O esa era la impresión que tenía Jess. "Ah, hola, Jess", decían después. Si es que se daban cuenta de su presencia. Cuando sonó el timbre a la hora de la comida, Jess sentía la necesidad de escapar de allí. Exprimió su cerebro para encontrar una excusa y poder estar sola. Pero tal y como salieron las cosas, no necesitó ninguna.

"Jess", dijo Flora, con aspecto extraño. "Necesito hablar de una cosa con Mackenzie. ¿Te importa? Lo siento, te veré más tarde, pero esto es bastante importante, ¿vale?". Jess asintió. Bien, quería estar sola. Flora se marchó hacia el gimnasio, y Jess se dirigió al rincón más apartado del patio y se sentó debajo de un árbol. Se dedicó a arrancar la hierba a puñados y a tirarla por ahí. Pero no conseguía deshacerse de los horribles sentimientos que albergaba en su interior.

Flora y ella siempre habían sido amigas íntimas. Habían hecho planes para ir juntas a la universidad, mudarse a Nueva York y compartir un apartamento, tener vacaciones glamourosas y trabajos importantes en los medios de comunicación. Pero Jess comenzaba a sentir que siempre sería el parásito, la aburrida, la amiga sin estilo que acompaña a la estrella a las sesiones de grabación y le cuida el bolso mientras ella resplandece delante de las cámaras.

"¡Eh! ¡Así que estás aquí!". Una sombra cayó sobre la hierba. Era Ben Jones. Jess miró hacia arriba. El sol quedaba detrás de su cabeza, por lo que Jess no podía ver su cara con claridad, pero su pelo parecía una corona de fuego.

"Hummm, ¿te importa si me siento?", preguntó él.

"Claro que no", contestó Jess.

Ben se sentó y se hizo un silencio. Claramente él no era conversador por naturaleza. Pero, en ese momento, por extraño que parezca, tampoco lo era Jess. "¿Sabes dónde está Flora?", preguntó. *Ya está otra vez,* pensó Jess, *obsesionado y, probablemente, loco por ella. No hay nada que pueda hacer.*

Se encogió de hombros y le dijo: "Me ha dicho que tenía algo que hablar con Mackenzie".

"Ah", dijo Ben. Parecía como si algo le preocupara. "Están teniendo muchas, ya sabes, peleas", comentó finalmente. "Ella parece, bueno, como irritada con él. Bueno, él es irritante, así que a lo mejor es eso". Jess suspiró. Lo veía todo claro. Puede que Ben lo intuyese también. Flora se estaba cansando de Mackenzie y le estaba empezando a gustar Ben. Y él, obviamente, sentía lo mismo por Flora, por eso la buscaba y preguntaba por ella todo el tiempo. Pero, desde luego, Ben no querría que Flora dejase a Mackenzie por él.

"¿Podemos hablar sobre otra cosa? Estoy un poco aburrida del tema", dijo Jess.

"Yo también", dijo él, aunque Jess sabía que no era cierto. Hablaron sobre la película de Eminem y sobre todas las otras películas que estaban poniendo ahora. Pero Ben nunca sugirió que fuesen a ver una juntos. ¡Oh, no, nunca le iba a pedir una cita! Era obvio. Ella era la amiga morena y fea que le sujeta el bolso a la artista. Estaba matando el tiempo con ella hasta que volviera a ver a la diosa.

¿Y qué?, pensó Jess. *Buena suerte a los dos. Aunque me gustaría que se decidieran ya.* Se sentía completamente preparada, así que cuando vio a Flora dirigirse hacia ellos, a lo largo del camino y a través de la hierba, podría haber escrito la historia completa. Era tan asquerosamente predecible.

A medida que Flora se iba acercando, Jess intuía que podía haber llorado. Ben se puso en pie. *Típico de los hombres*, pensó Jess. *En cuanto hay sentimientos de por medio, se marchan*. Finalmente, Flora llegó hasta donde estaba ella. Tenía los ojos llenos de rabia, las lágrimas centelleaban sobre sus pestañas doradas y le temblaba todo el cuerpo. "¡He roto con Mackenzie!", anunció.

Ben se estremeció e inició la retirada. "Oh, bueno", murmuró, "mejor me... ¡Hasta la vista!". Y se marchó, dejando el escenario vacío para la conversación entre las chicas.

Era obvio que tenía que retirarse para que Flora pudiera hablar a su mejor amiga con franqueza. Debía mantener una distancia prudencial. Pero ya tenía que saber que su momento había llegado. Iba a ser un golpe duro para su relación con Mackenzie, pero, al mismo tiempo, le resultaría maravilloso estar con Flora.

Flora miró cómo se marchaba, se sonó la nariz y se recompuso. "Ha sido realmente espantosa mi conversación con Mackenzie", dijo. "Hemos tenido una pelea horrible. Es un maniático del control, como mi padre. Ha intentado dominarme desde que empezamos a salir. Y es tan, como, celoso y ambicioso. Le ha sentado fatal lo que decía el periódico de mí. Como yo he aparecido en el titular y todo eso. Y ha dicho que el grupo fue idea suya".

"Bueno", dijo Jess. "¡Hombres! ¿Quién los necesita? Tienen unos egos machistas, patéticos y gigantes. Tratando de imponerse, financiando guerras, pegando a la gente. Estás mejor sin ellos".

Flora se quedó callada un momento. "Sí", admitió. Pero había algo más en su cabeza. "Mira, Jess, esto es difícil", titubeó, y también empezó a arrancar puñados de hierba y a tirarlos por todas partes. Muy pronto esa zona del patio del colegio estaría completamente calva por los traumas emocionales.

"¿Qué?", preguntó Jess, aunque sabía muy bien lo que estaba por llegar.

"No es solo que Mackenzie no fuese para mí", dijo Flora, "aunque, obviamente, este era el problema fundamental. Pero, el caso es que estoy loca por otro".

Sí, sí, pensó Jess. "¡Ah! ¿Por quién?", dijo.

Flora titubeó. Un montón de puñados de hierba salieron volando por el aire. "Lo siento, porque siempre ha sido alguien muy especial para ti", tartamudeó. "Pero no puedo evitar lo que siento, Jess. He intentado, e intentado no sentirme así, pero me es imposible. Cuanto más intento pararlo, más intenso se vuelve".

"No te preocupes", dijo Jess, "lo veía venir desde hace siglos".

"¡¿De verdad?!", preguntó Flora, con los ojos abiertos como platos de asombro.

"¡Claro!", dijo Jess. "Era evidente desde el principio que Ben Jones no estaba interesado por mí. Espero que seáis muy felices".

Flora se quedó con la boca abierta. *Ahí está, se ha quedado sin habla, noqueada por mi perspicacia y elegante generosidad*, pensó Jess.

"Pero Jess", dijo Flora, intensamente sonrojada. "No estoy loca por Ben, sino por Fred".

28.
VIRGO: MERCURIO ESTÁ EN RETROCESO. LAS COMUNICACIONES SERÁN DIFÍCILES. TU MÓVIL QUERRÁ ESTAR SOLO Y SUSURRARÁ PARA SÍ MISMO DE FORMA SEDUCTORA

El mundo de Jess se derrumbó de repente. Las palabras se distorsionaron en su cabeza. La palabra *Fred,* por ejemplo, dejó de tener significado. A lo mejor, Flora había querido decir otra cosa o, a lo mejor, había dicho otra cosa. Puede que hubiese pronunciado *Ben,* pero que hubiese sonado como *Fred.*

"¿Fred?", repitió Jess. La palabra sonó como un grito agudo.

Flora movió los ojos de un lado a otro, nerviosa; miró al cielo, a la hierba, al tronco del árbol, a sus rodillas. "Sí", respondió. "Fred".

A Jess le era imposible hablar. Flora ¿y Fred? Resultaba muy extraño. El corazón le latía con fuerza. ¿A Flora le gustaba Fred? Era tan inesperado que a

Jess le costaba asimilarlo. Se quedó mirando a Flora con la boca abierta, para desgracia suya, con aspecto de pez. Flora empezó a juguetear, de manera compulsiva, con los anillos de sus dedos.

"No es una cosa repentina", dijo. "Y no tiene nada que ver con lo que escribió sobre mí en el periódico". Se sonrojó y le brillaron los ojos, aunque, humildemente, los posó en la tierra. Probablemente los escarabajos ya la estaban contemplando y se estaban enamorando de ella. "Siempre me ha gustado, bueno, ya sabes, la manera en que Fred es tan, ya sabes, inteligente y divertido. Solo que nunca me he permitido entusiasmarme mucho, porque sabía que Fred y tú estabais muy unidos. Así que, bueno, reprimí mis sentimientos hacia él".

¡Reprimió sus sentimientos! ¡Guau! ¡Qué heroicidad! ¡Denle una medalla a esta chica!

"En cualquier caso", continuó Flora, "últimamente no has estado, ya sabes, tanto tiempo con Fred, y como parece que Ben y tú estáis juntos, he pensado que, bueno, ¿sabes?, no te importaría". ¿Importar? ¿Importar? Esa palabra reflejaba tan poco lo que sentía en ese momento, que casi no podía recordar su significado.

Visto desde fuera, Jess sabía que no tenía derecho a sentir nada. Fred no era de su propiedad. Últimamente ni siquiera se hablaban. Pero en su fuero interno, Jess sabía que si Flora empezaba a salir con Fred, le resultaría imposible afrontarlo. Jess podría arrastrarse por el suelo, destrozar cortinas o romper todas las ventanas del país y no expresaría sino una milésima parte de su malestar y de su furia. Estaba sorprendida por su propia rabia. Sabía que no tenía ningún derecho a sentirla, pero ahí estaba, consumiéndola por dentro.

"Ben y yo no estamos juntos. No sé cómo has llegado a esa conclusión", dijo fríamente.

Los grandes ojos azules de Flora se hicieron más grandes y azules todavía, mostrando sorpresa. "Bueno, siempre estáis juntos. Todo el mundo piensa que estáis saliendo", dijo.

"¡Pero tú eres mi mejor amiga!", estalló Jess. "Si estuviera saliendo con alguien, te lo contaría a ti antes que a nadie. Te cuento todo, ¿no? Aunque parece que tú no haces lo mismo conmigo".

"¡No te lo he contado nunca porque no quería hacerte daño!", replicó Flora. "Pensé que te podría sentar fatal si Fred y yo empezábamos a salir".

"Bueno, en cuanto a eso, puedes estar tranquila". Jess consiguió controlar su ira, aunque estaba temblando. "Os deseo a los dos mucha felicidad".

"Entonces, ¿por qué me estás haciendo pasar este mal trago?", se quejó Flora.

"Porque me molesta que no me cuentes las cosas", dijo Jess, apretando los dientes. En realidad, esa no era la razón, pero debía ocultarle la verdad a toda costa.

"¿En serio no te importa? ¿Nada de nada?", preguntó Flora con vehemencia. Jess asintió y Flora le dio un abrazo. "¡Gracias! ¡Gracias, Jess! ¡Eres un cielo!", dijo. "No sabes el miedo que me daba contártelo. Fred es tan inteligente e ingenioso, y creo que tiene una nariz monísima. Además, me encanta como lleva el pelo".

"A mí me parece que le queda fatal; me gustaría que se lo cortase. Se lo he dicho mil veces, pero no me hace caso", dijo Jess.

"Supongo que está siempre ocupado, concentrado en sus ideas y eso", dijo Flora. "Creo que es un genio como cómico". Jess no dijo mucho más. Estaba demasiado conmocionada como para hablar. Había desperdiciado muchas horas intentando asumir que Flora andaba detrás de Ben y ahora tenía que empezar de nuevo. Aunque en esta ocasión se sentía completamente distinta y sabía que no se podría acostumbrar nunca a la situación.

"¿Crees que podrías ayudarme, Jess?", dijo Flora.

"¿Cómo?", preguntó Jess, desanimada, desde el profundo agujero en el que estaba metida.

"La cosa es... que tú conoces a Fred. Siempre ha sido uno de tus mejores amigos... Estaba pensando... ¿podrías hablar con él y, bueno, ya sabes, sondearle un poco? Dile mi nombre y a ver cómo reacciona. Y, bueno, si muestra interés, dile que a mí también me gusta". Flora terminó el discurso sonrojándose de nuevo. La imaginación de Jess se tambaleó ante un encargo tan terrible. "Si no quieres hacerlo, se lo puedo pedir a Jodie", dijo Flora.

"¡No! ¡Lo haré! Iré a su casa esta noche", exclamó Jess. En ese momento, sonó el timbre que anunciaba el final de la hora de la comida. Jess se sintió confusa el resto de la tarde. La mente de Jess era como una mariposa chocando contra una ventana y aleteando desesperadamente contra una barrera invisible, destinada a no poder escapar jamás.

Salió del colegio rápidamente y empezó a caminar hacia su casa. ¿Debía ir ahora a casa de Fred o después de la cena? Su estómago le comunicó que la cena estaba descartada. Esto era la condena a muerte de Jess. A lo mejor, nunca volvía a comer. Así que quizá debía ir directamente a hacer el encargo y terminar cuanto antes. Pero ¿y si reunía las fuerzas para ir a casa de Fred de camino a la suya y él todavía no había llegado? Sería sufrir para nada.

"¡Jess!", sintió una mano en el hombro. Durante un instante de locura, pensó que era Fred, pero era Ben.

"¿Cómo está Mackenzie?", le preguntó.

"Hecho polvo", contestó Ben, moviendo la cabeza de un lado a otro y encogiéndose de hombros. "Está en la fase esa en la que dice que haría lo que fuera con tal de que Flora volviera con él. Le he dicho que no sea tan gilipollas, que ella no va a cambiar de idea, ¿verdad?".

"No", suspiró Jess, "no creo. No sé si se lo dijo a Mackenzie, pero está colada por otro".

"No creo que le haya dicho nada", dijo Ben, frunciendo el ceño. "¿Y quién le gusta?".

Jess se rio con amargura. "Pensé que le gustabas tú. Sé que ella te gusta a ti, y no me extraña".

Ben se quedó completamente quieto y miró a Jess con sorpresa. "¿Que a mí me gusta Flora?".

"¿Es que no te gusta?", preguntó Jess.

"¡No!", contestó Ben, sonriendo boquiabierto.

"Pero siempre estás hablando de ella y haciendo preguntas".

"Es que, bueno, quería saber dónde se estaba metiendo Mackenzie; estaba preocupado", explicó Ben. "Ya sabes, es un tío un poco loco. Tiene una vena salvaje, y alguien tiene que vigilarle. Pero Flora no me gusta. Para nada". Por un instante, Jess pensó que le iba a confesar que le gustaba otra persona. La manera que tuvo de hacer una pausa y de mirarla de reojo, hizo que se asustara durante una décima de segundo. Solo unas semanas antes, habría deseado con toda su alma que Ben Jones la acompañara a casa y le declarara su pasión. Ahora, esa idea le aterraba.

"No estoy interesado en ninguna chica, ¿vale?", dijo Ben. "No de esa manera. No quiero tener novia, no lo llevaría bien".

Jess se sintió aliviada. "Me alegro. No me haría gracia que acabases como Mackenzie".

"No creo que eso me pase nunca. Hay cosas mucho más importantes", le aseguró Ben.

"Sí", concedió Jess. Pero ahora mismo no podía pensar en ninguna.

"Y bien, ¿quién es el chico afortunado al que Flora ha echado el ojo?", preguntó Ben.

"Fred", dijo Jess.

"¡Qué!", exclamó Ben. "¡No me lo creo! ¡No debería ni siquiera intentarlo! ¡Qué fuerte! ¿Cómo puede hacerte a ti una cosa así?".

"¿A mí?", preguntó Jess, titubeando. Siempre había pensado que Ben era un poquito lento, un tipo majo, pero un poco tonto. Ahora tenía la impresión de que era más intuitivo de lo que pensaba, bueno, más intuitivo que ella misma, por lo menos en ese asunto.

"Bueno, es que Fred y tú estáis, ya sabes, hechos el uno para el otro", dijo Ben. "¿No?".

"¡Qué va! Ahora ni siquiera nos hablamos. Y una vez que Flora se decide por alguien, no hay más que hablar".

"¿Y a Fred, ya sabes..., le gusta Flora?", preguntó Ben, con una expresión dubitativa.

Jess suspiró. "¿Y a quién no? Sin contarte a ti, claro".

"Pero todavía no están, ya sabes, saliendo", tanteó Ben.

"No", dijo Jess. "Esta noche tengo el maravilloso encargo de ir a casa de Fred para sacar el tema".

"¡Guau!", exclamó Ben. "¡Qué horror! ¡Menudo marrón!". Habían llegado a la calle en la que Ben tenía que girar para ir hacia su casa. "Buena suerte", dijo él, pasándole fugazmente el brazo por encima de los hombros. "Llámame si necesitas hablar, ya sabes, después, ¿vale?".

Mientras andaba por la calle que llevaba a la casa de Fred, se le pasó por la cabeza que Ben podía ser gay. Esperaba que lo fuera, ¡sería total! Siempre había querido tener un íntimo amigo gay, pero siempre había pensado que sería Fred.

En realidad, Fred estaba resultando ser alguien completamente distinto. Y en cinco minutos estaría con él, cara a cara. Para la confrontación.

29. VIRGO: LOS MARCIANOS ATERRIZARÁN EN TU JARDÍN, PERO SOLO QUERRÁN HABLAR DE FÚTBOL

Jess llegó a casa de Fred y se quedó en la calle, con el corazón martilleándole. ¿Debía llamar a la puerta ahora o volver en una o dos horas? El coche de la madre de Fred no estaba, y Jess sabía que su padre solía volver a casa tarde. Lo mejor era hacerlo cuanto antes. Si llamaba por teléfono antes de ir, Fred podría inventarse una excusa para no verla. Recorrió el camino hasta la puerta y llamó al timbre.

La puerta se abrió y apareció Fred. Cuando la vio, hizo un gesto de consternación.

"No me llevará mucho tiempo", dijo Jess.

Estaba claro que su presencia le era odiosa. "¿A qué has venido?", preguntó Fred, "¿A asesinarme? Me lo merezco".

"No seas imbécil, solo quiero hablar contigo un momento", dijo ella.

"¿Un momento? ¡Imposible! Pero si no paras de hablar ni debajo del agua...".

"No intentes hacerme reír, estúpido. ¡Esto es serio! ¿Están tus padres en casa?".

"Mi madre ha ido a cepillar a sus caballos de carreras y mi padre está ayudando a la policía a investigar su blanqueo de dinero en Panamá".

"Entonces, invítame a pasar, ¿no?", gruñó Jess, empujando a Fred y entrando en el salón. No hacía mucho, Fred había pasado la noche allí en un saco de dormir, viendo películas violentas y, después, durmiendo como un bebé. Pero le parecía que hacía años luz de eso. A Jess le había encantado, casi se había sentido parte de la familia. Ahora sería Flora la que tendría el privilegio de pasar la noche en la cama de Fred y de ponerse el venerado pijama.

Fred y Jess se sentaron cada uno en un sofá, el uno frente al otro. "¿Quieres tomar algo?", preguntó Fred.

"No, gracias", dijo Jess. "Y no me apetece ver una película violenta".

"A mí tampoco", dijo Fred. "Últimamente no me da tanto por esas películas. Ahora me gustan las francesas de autor. Con subtítulos. *Amélie* es buenísima; la he visto siete veces. De hecho, la protagonista se parece bastante a ti".

Jess no había visto *Amélie,* así que no podía saber si lo que Fred acababa de decir era un cumplido o un insulto. Pero tampoco importaba. Era desconcertante estar ahí, con Fred, que volvía a ser el de antes. Jess solo deseaba relajarse y olvidarse del encargo de Flora. Pero no podía, se lo había prometido.

Se hizo un silencio, Fred la estaba mirando fijamente. Jess se sintió confundida durante un segundo: el nerviosismo. Estaba tan preocupada por lo que tenía que decir que no lograba concentrarse como debía. ¿Había preguntado él algo? Le miró. Él se retiró el pelo de los ojos y esbozó una sonrisa tensa y nerviosa. "Lo siento", dijo de pronto.

"¿Qué es lo que sientes?", preguntó Jess.

"No lo sé, todo", dijo. "Siempre me disculpo con todo el mundo por si acaso he hecho alguna tontería estando en un viaje astral".

"No, soy yo quien tiene que disculparse", dijo Jess.

"¡No, soy yo el que se disculpa!", dijo Fred, rivalizando en broma. "Lo siento, ¿vale? Yo lo siento. No lo sientas tú. Lo siento, pero así son las cosas. Lo siento".

"Bueno, yo siento haber estropeado el cumpleaños de tu madre", dijo Jess.

"No, no te preocupes por eso", dijo Fred, pero se sonrojó.

"Te dije que me había puesto mala, pero lo que realmente pasó es que tuve que ayudar a mi abuela. Se dejó el grifo de la cocina abierto y toda la planta baja se inundó, y tuve que atenderla y limpiar, y no me di cuenta de que se estaba haciendo tarde, y...".

"Olvídalo", dijo Fred. "A mi madre le dolía la cabeza y decidió posponer la fiesta hasta las vacaciones de verano".

Jess se sintió inmensamente aliviada al oír eso. A lo mejor, después de todo, tendría la posibilidad de comprarle un regalo a la madre de Fred, esta vez con su dinero. "Entonces, ¿no estás enfadado conmigo?", preguntó Jess.

Fred sonrió a través de sus mechones de pelo. "Pensé que *tú* estabas enfadada *conmigo*", dijo. "Quería pedirte que escribieras algo para el periódico. Fuiste la primera persona en quien pensé. Te llamé una vez, pero contestó tu abuela, así que decidí esperar hasta que te viese en el colegio. Pero, no sé cómo, cada vez que se me presentaba una oportunidad...".

"¡¿Qué!? ¡¿Qué!?", gritó Jess.

"Bueno, ya sabes...". Fred parecía nervioso y empezó a juguetear con sus deportivas. "Cuando alguien está saliendo con otra persona, uno tiene que mantener las distancias".

"¿Con quién estás saliendo?", preguntó Jess, con el corazón en un puño.

Fred puso cara de sorpresa. "¿Yo?", dijo colocándose la mano en el pecho, de forma muy teatral. "*¿Moi?* ¿Saliendo con alguien? ¿Con un extraterrestre, quizá? ¿Con alguna clase de planta exótica?".

"Pensé que habías dicho que *tú* estabas saliendo con alguien", dijo Jess, quedándose sin aliento de repente.

"No, me refería a *ti*", explicó Fred, pacientemente, como si fuera una niña o una anciana olvidadiza.

"¡¿A *mí*?!", exclamó Jess. "¡Yo no estoy saliendo con nadie!".

"Pero", titubeó Fred, "¿y Ben? Todo el mundo dice que estáis saliendo. Siempre os veo juntos. Caminando a casa, sentados en la tapia, en la biblioteca a la hora de comer, en el comedor... Whizzer dijo..., dijo que Ben estaba en tu casa el día del cumpleaños de mi madre".

"¡Ah, eso no fue nada!", dijo Jess. "Solo fue a prestarme un vídeo. Ni siquiera me interesaba la película, pero no podía ser maleducada. No llegó ni a entrar en casa".

"¿Entonces no estás saliendo con él?", preguntó Fred. Sus ojos empezaban a brillar de alegría.

"¡Claro que no!", le aseguró Jess. "Viene muchas veces a hablar conmigo porque Mackenzie siempre está con Flora; quiero decir, los dos teníamos mucho tiempo libre".

"Ah", dijo Fred.

Se impuso otro silencio. Este parecía un poco menos embarazoso que el anterior, aunque también más peligroso. Jess hizo un esfuerzo por llenarlo. Tenía, tenía que transmitir el mensaje de Flora. "Pero las cosas han cambiado, porque Flora ha roto con Mackenzie", dijo.

"¡Vaya! ¿Y eso?", preguntó Fred.

Jess titubeó. Ahora estaba llegando el momento más crítico. "Flora cree que no sería justo estar saliendo con Mackenzie cuando en realidad le gusta otro". Fred se encogió de hombros y puso cara de simio. "El caso es, Fred..., que quiere salir contigo".

Fred se echó hacia atrás en el sofá de un salto, como si le hubiesen disparado. Estaba tan sorprendido que se le pusieron los ojos como platos. Por una vez, no pudo decir nada. Miraba a Jess fijamente, boquiabierto. "Sí", continuó Jess. " Parece ser que le gustas desde hace tiempo. Piensa que eres un genio como cómico".

Fred movió la cabeza de un lado a otro, se frotó la cara, miró hacia la alfombra, y volvió a mover la cabeza.

"No", dijo, "¡no..., no..., no..., no..., no! Es absurdo. No quiero salir con una chica que piensa que soy un genio como cómico. Prefiero salir con una chica...". Miró a Jess a través de sus mechones de pelo. "Prefiero salir con una chica que piensa que soy un búho. Quiero decir, que salgo por la noche a decapitar pequeños roedores. Lo cual es posible".

El corazón de Jess hizo el truco de salir por la boca, dar una vuelta alrededor del salón de Fred, rebotar en la ventana y volver a entrar a toda velocidad en su cuerpo por el culo. ¿Había dicho Fred que quería salir con ella?

"Has dicho que...". Tenía que ser valiente y aprovechar el momento. "¿Me acabas de decir que quieres salir conmigo?".

"Sí, bueno, ¿por qué no probar?", dijo Fred rápidamente, como si estuviesen discutiendo si tomar un nuevo tipo de sándwich. "No te estoy proponiendo matrimonio, ni nada de eso. Yo no soy de los que se casan".

"No te preocupes", dijo Jess. "Yo tampoco. De hecho, preferiría que me abandonasen en el desierto del Gobi y morir mientras me despiojan unas mangostas que casarme contigo".

"No podría estar más de acuerdo", dijo Fred. "Antes me dejaría freír rebozado en huevo y pan rallado que estar casado contigo durante medio segundo".

"Menos mal que eso lo tenemos claro", dijo Jess.

Se hizo otro silencio, esta vez intensamente delicioso. "Hay algo que llevo tiempo intentando decirte", dijo Fred. Las pupilas de los ojos le bailaban.

"¿Qué?", preguntó Jess.

"Bueno...", Fred cogió un cojín y lo abrazó. "Es un poco difícil de decir, realmente... son solo, ya sabes, tres palabritas".

Jess se puso en guardia. A lo mejor era una trampa. O a lo mejor era el momento más feliz de su vida. "¿Qué tres palabritas? *¿Eres un idiota?"*, sugirió.

"No", contestó Fred, "córtame el pelo".

"¡Que te corte el pelo!", exclamó Jess. "¡Qué idea tan genial! Llevo queriendo cortarte el pelo desde hace siglos, pero tendré que lavártelo primero".

Subieron al cuarto de baño juntos e inspeccionaron la enorme gama de champús de la madre de Fred. "¿Qué tipo de pelo tienes?", le preguntó Jess.

"Pelo que no se ha lavado en décadas", contestó Fred. Se sentó en el taburete del cuarto de baño. "Echa un vistazo", le propuso. Jess le tocó el pelo. Estaba suave y limpio. Estaba claro que se lo había lavado el día anterior, pero no dijo una palabra. Era fantástico poder lavarle y cortarle el pelo.

"Te recomendaría el champú de coco y canela de tu madre", dijo ella.

"Adelante", contestó Fred. "Lávalo". Y le colocó la cabeza en el lavabo. "La alcachofa de la ducha está rota, así que tendrás que utilizar un vaso", murmuró. Jess se aseguró de que el agua estuviese a la temperatura adecuada: templada, no muy caliente. Le mojó el pelo con ternura, después le aplicó el champú y se lo extendió haciéndole un masaje. Le enjuagó el pelo acariciando los ríos de agua templada que salían de los largos mechones de Fred. Le llevó un buen rato, vaso a vaso. En la mitad del proceso, Fred le pasó el brazo por la cintura. "Tengo miedo al agua, tendrás que disculparme".

Finalmente, Jess terminó y bajaron las escaleras. Fred tenía una toalla sobre los hombros, como un boxeador. "Mejor te lo corto en el cuarto de la plancha", dijo Jess, "allí hay baldosas. Si te lo cortase aquí, el pelo se quedaría pegado en la alfombra".

"Eso es lo que me gusta de ti. Eres tan sensible", dijo Fred.

Entraron en el cuarto de la plancha. Fred se sentó. Jess encontró unas tijeras en la cocina y colocó un espejo grande contra la pared, encima de la lavadora.

"Bueno, ¿cómo lo quieres?", preguntó Jess.

"Como a ti te guste", dijo Fred alegremente. "Estoy cansado de este maldito pelo. Cuanto más corto, mejor".

Jess nunca le había cortado el pelo a nadie, pero parecía sencillo. Un montón de pelo cayó al suelo, y apareció la cabeza de Fred, renovada y fresca. Mejor definida. Fred en su más pura esencia. Era como si todas las cosas irritantes de él se hubiesen caído al suelo junto con el pelo. Y también todos los malos momentos. "¿Sabes lo que dicen siempre los peluqueros?, preguntó Jess, *¿Vas a algún sitio agradable estas vacaciones*?". Puso voz de peluquero excéntrico.

"Bueno, estaba dudando entre Auschwitz y Phuket", dijo Fred, "pero supongo que nos lo podríamos pasar muy bien calle abajo, en el parque". Un verano maravilloso con Fred en el parque empezó a brillar en la imaginación de Jess. "Me gustaría de verdad escribir algo cómico contigo", continuó. "Tu monólogo era divertidísimo. Hazlo ahora, ¡vamos!".

"¡Desde luego que no!", dijo Jess alegremente. "Las cosas han cambiado en el Departamento de los Corazones Solitarios. Ese monologo es de la temporada pasada".

"Vale", dijo Fred. "¿Pero podríamos escribir algo para una pareja? ¿Para nosotros dos?".

"Sí", dijo Jess. "Podríamos crear una pareja de viejos extravagantes llamados Doris y Arthur. Tú harías de Doris y yo de Arthur".

"Incluso nos podríamos ir de viaje a alguna parte", musitó Fred.

"¡Sí!", dijo Jess. "Podríamos ir a ver a mi padre a Saint Ives. Mi otro gran objetivo para este verano es descubrir por qué rompieron mis padres".

El corte de pelo ya estaba terminado. "¡Hala! ¡Te pareces un poco a Eminem!", dijo Jess.

"¡Tranquila!", dijo Fred. "Sé que te sientes culpable por haberme comparado con un búho, pero no hay necesidad de entrar en el reino de la fantasía".

"¿Puedo acariciarte la cabeza?", preguntó Jess.

"Por favor", dijo Fred. "Es toda tuya". Jess se la acarició. Le recordaba un poco a la piel de un animal. "Voy a empezar a ronronear en cualquier momento", dijo Fred. "Puedes tocarme la cabeza siempre que quieras. Es más, si no me acaricias un poco todos los días, puede que me ponga de mala leche".

Jess, de pie, detrás de Fred, colocó los brazos sobre sus hombros. Fred le cogió las manos y se las sujetó cerca de su corazón. Jess podía sentir que latía deprisa. Se contemplaron en el espejo. "¡Qué pareja más fea!", dijo Fred. Permanecieron así un rato, sonriéndose el uno al otro en el espejo. Alrededor de ellos, en el suelo, el pelo de Fred brillaba con la luz del sol. Iba a ser un verano fantástico.

ÍNDICE